JN008574

KENGO KUMA　KATSUHIRO OTOMO　KATSUHIKO HIBINO

TOKYO "EXCESSIVE LOVE" THEORY

東京"偏愛"論

あなたが知らない東京の魅力を語る

滝 久雄 編著
隈 研吾
大友克洋
日比野克彦

日本経済新聞出版

はじめに　偏に東京を愛そう

いま、教育の世界、そしてマーケティングの世界の双方で、ある一つの言葉が注目を集めています。それは「偏愛」です。

本書のタイトルは「東京〝偏愛〟論」ですが、ここでいう「偏」は、「偏り」というより、「偏に」に近い意味です。一途に、ひたすらに注ぐ東京への愛という思いを持って名付けました。

思うに、東京は江戸時代から始まった、いくつもの〝こだわり〟や〝偏愛〟が作り上げてきた都市ではないでしょうか。徳川家康によって始まった300年の長きにわたる平和の中で、町人を中心に歌舞伎や浄瑠璃、俳句や浮世絵など、さまざまなジャンルで文化が花開き、世界に誇る江戸の庶民文化を育て上げてきました。江戸は当時の世界でも類を見ない活気あふれる都市でしたが、その遺伝子はいまの東京にも脈々と受け継がれている。私はそう確信しています。

未来の東京は、江戸に負けるな。そんな意気込みで、本書の出版に先駆けて、東京を世界最高峰の都市として浮かび上がらせるためのプロジェクト「偏愛東京」がいよいよ始まりました。本書の出版もこのプロジェクトの一環ですが、鉄道会社と連携したユニークな企画や新たな情報プラットフォームが立ち上がりました。インターネットが広く普及している現在、真偽不明の匿名による情報発信や誹謗中傷、フェイクニュースが少なくありませんが、実名での信頼できるこだわりの情報、旬な情報を広く集め、これまでにない観光情報の発信を目指していきます。

私は、東京という都市は、世界一面白い文化の発信源になると、いまも昔も思い続けています。1996年に日本初の飲食店検索グルメサイトとしてスタートした「ぐるなび」を開設して以降、2004年には「おでかけ」をテーマに、多彩な情報を提供するプラットフォーム「レッツエンジョイ東京」を、16年には、ぐるなび、東京急行電鉄、東京地下鉄の3社が事務局となって、訪日外国人を対象としたワンストップガイドサービス「LIVE JAPAN PERFECT GUIDE TOKYO」を構築してきました。新しいサイトでは、これら既存のサイトが持つ膨大な情報と連携しつつ、東京への愛と情熱を持った人々やコミュニティの方々の投稿を加えた、新しい東京の観光情報サイト再構築に取り組んでいきたいと思っています。

東京は世界有数の国際観光都市で、有名な観光スポットは数多く知られています。しかし、同じ場所でも視点を変えれば違う魅力が発見できますし、無名のスポットでも、誰かの熱い思いによる情報発信で人気の観光地になることがあります。愛の数だけ、名所が生まれる――「偏愛」×「東京」で、もう一度東京を見つめ直すと、ステレオタイプではない新しい東京の魅力が発掘できるのではないかと考えています。

本書では、日本を代表する世界的な建築家の隈研吾さん、世界中に熱狂的なファンを持つ『AKIRA』の作者で漫画家の大友克洋さん、東京藝術大学学長であり現代美術家の日比野克彦さんの三巨頭に、それぞれの偏愛する東京について語っていただいています。隈さんが手がける建築、大友さんが描く漫画、日比野さんが作り出すアートは、日本が世界に誇る同時代の芸術・アートです。作品を通して日本文化を世界に発信している三人の方々が語る「東京偏愛論」とは――。それぞれの方のエピソードから、既存のガイドブックでは紹介されない新たな東京の魅力が浮き上がってくるのではないかと思います。

そもそも私が「偏愛」という言葉に注目したのは、21年に書籍『東京の多様性』を編んだ時に、情報学研究者のドミニク・チェン早稲田大学教授が紹介してくれたエピソードがきっかけでした。チェン先生のゼミでは、学生全員に「偏愛マップ」を書いてもらうそうで、紙にその人が偏愛するもの、好きなものをひたすら書き、初対面の人同士で交換すると話が大変盛り上がるとのことでした。もともとは教育学者の齋藤孝先生が考案されたものですが、チェン先生はその反対の「ペインマップ」という、自分が嫌いなことや苦手なことも学生たちに書いてもらっているそうです。こうすることで、個々人の違いが際立ち、同時に違いというものが世界を創っていることを、みんなで実感できるというお話でした。

このエピソードのように、誰に憚ることなく、好きなものを好き、嫌いなものを嫌いと伝えられたら、いままで以上に世の中は生きやすいものになる。さらに、それを互いに認め合うことができれば、そこに個性ある社会が生まれ、その先に新しい文化が生まれる。いまは、そのように語る人が現れ、賛同する人も増えている時代だと思っています。

本書には、22年5月に東京工業大学で開催された特別シンポジウム「〝偏愛〟という視座で、東京の未来を探る。」の内容も収録しています。隈さん、大友さん、日比野さんにご登壇いただき、それぞれの偏愛する東京について自由に語っていただいていますので、あわせてお楽しみいただけたらと思います。

誰かの強い思いが新しい風を吹き込む「偏愛」プロジェクト。コロナ禍において外出が自粛されることも少なくない日常ですが、このような時だからこそ、自分の暮らす国や地域が持つ文化を見つめ直すいい機会だと思います。本書をお読みいただいた方々が、自分の街や好きなモノについて考えを深め、新たな気付きを得る契機となれば、編著者としてとてもうれしく思います。

目次

同じ志を持つ人たちが
たくさんいるところに、
東京を感じる――。（日比野克彦）

東京にある鉄道網と商店街。
その資産を活用すれば、日本は再生できる――。（滝久雄）

第2章 東京の魅力は、目立たないところに埋まっている

隈研吾の「偏愛東京」

神楽坂で大家さんをやっています
人と街との「とりあえず」の関係
建築が輝く治外法権の場所
建築家のエゴを消して、環境に寄り添う
丹下健三「代々木競技場」が少年の将来を決めた
世の中のブームに、逆らいたい

裏道が建築を豊かにする
丹下建築から、どれだけ離れられるか
都市、東京を木造で作り替えたい
駅で分断された東京を、駅でつなげ直そう
消滅可能性都市からV字回復した豊島区
時代の波に強い、ごちゃまぜの街
一周回って、郊外再発見
アタマで考えた街は、現実に負ける
東京の曖昧さ、半端さを愛します

第3章 東京なら、無名性の中で自由に生きていける

大友克洋の「偏愛東京」

テレビが映さない東京
都会のあやしさにつかまって
映画、レコード、飲み屋、バラック

ヤクザな漫画業界の人たち
近代団地のSFっぽさ
『AKIRA』における未来の予言
昭和の東京にオマージュを
僕の都市像はアメリカン・ニューシネマから
地下都市伝説から『SOS大東京探検隊』
都市にはあらかじめ破壊が内在する
ランドスケープがあって、物語が始まる
自転車での都市探索にハマる
自由で、勝手、それが東京だ

第4章 八王子、渋谷、六本木、上野——全部が面白い日々

日比野克彦の「偏愛東京」

八王子からスタートした東京体験
東京で同志たちと切磋琢磨する
ワクワク、ドキドキの80年代

第5章

僕たちの「偏愛」の源は、ステレオタイプとは違うところにあるみたいです。

――隈研吾、大友克洋、日比野克彦

第1章

僕たちの「偏愛」する東京を語ろう

座談会

座談会メンバー：隈研吾・大友克洋・日比野克彦・滝久雄

司会：柳瀬博一　東京工業大学教授

個人の感傷とは別に、
都市はどんどん新陳代謝していく。
それが東京――。（隈研吾）

――お三方に、東京の好きなところを聞いていきたいと思います。隈研吾さんは東京の建物をたくさん作られていますが、ご自身がいちばん好きな場所って、どこでしょうか。

隈研吾（以下、隈）しょっぱなからナンですが、自分の建物が見えない場所ですね（笑）。自分の建物を見ると、あの時ああすればよかった、こうすればよかった、と反省ばかりしてしまうんです。自分の建築が見えないところが落ち着きます。

――隈さんは、東京で手がけられた建築が多いから大変ですね。

隈　そんなことはないですよ。建築については、もちろん、その時にできる最大限のことを考え、最後まで最善を尽くしていますが、後から気付くことも多いので。

――客観的に眺めてしまう、ということですか。

隈　僕は横浜市の大倉山という東京の郊外で生まれ育ち、幼稚園と小学校は東急東横線で1本の田園調布に通っていました。幼稚園の時から毎日電車に乗って、ある種、旅人的な感じで「東京ってヘンなところがいっぱいあるなあ」と、東京を眺めていました。そういう視線から抜け出せなくて、だから自分が作った建物についても、無条件に「すばらしい」と自画自賛できなくて、あれこれ考えてしまうのでしょう。

――お隣にいらっしゃる大友克洋さんにうかがいたいと思います。大友さんは代表作の『AKIRA』を筆頭に、短編集『SOS大東京探検隊』では東京を切り取り、『童夢』では郊外団地を描かれ、東京とその周縁を舞台にした作品を描かれています。そんな大友さんご自身が好きな東京は、どこにありますでしょうか。

大友克洋（以下、大友）　僕は宮城県登米市の出身で、高校卒業後に東京に出てきた田舎者なんです。だからいまでも、東京のことはよく分かってない、という感じを持っているんですね。東京に出てきたのは1972年です。その時にまず驚いたことは、東京ってのは何でもある街なんだな、ということ。田舎では観られなかった映画、買えなかった本やレコードが普通にある。10代の自分が欲しいと思いながら、なかなか手に入れることができなかったものが、いっぱいある街だったわけです。

質問の答えとしては、長いこと住んでいる吉祥寺がいちばんという感じですかね。若い時は、東京のあちこちを飲み転がっていましたけどね、やっぱり吉祥寺。何十年も住んで、もういい加減飽きていますが、じゃあ、ほかにどこに行くか？となると、あまり思い浮かばなくて。

――吉祥寺は、各種の住みたい街ランキングで常に上位にくる人気の街です。駅前の商店街や、裏道など、いろいろなものが混ざっている感じが面白いですよね。繁華街がそのまま「井の頭公園」や住宅街にフェードアウトしていく様子も、都心にはないところですね。

大友　なんで吉祥寺に住むことにしたかというと、この街には何でもあるからなんです。映画館があって、本屋があって、レコード屋があって、飲み屋があって、ジャズバーがあって、喫茶店があって、公園がある。都心ではない武蔵野市の中の、ちょっとした都市で、そこに都会の要素がだいたい揃っていて、全部、手の届くところにある。そういうコンパクトなところがいいですね。

――日比野克彦さんはアーティスト活動とともに、東京藝術大学の教授を長く務められて、2022年4月に同大の学長に就任されました。日比野さんが好きな東京も、多岐にわたると思いますが、いちばん好きな場所というものはありますか。

日比野克彦（以下、日比野）　僕は生まれ育った場所が岐阜市で、東京に出てきたのは大友さんと同じで高校卒業後。それが1976年のことです。最初は多摩美術大学に進学して、その1年後に東京藝術大学に入学したので、最初の入り口は、多摩美があった八王子でした。

昔はいまのような引っ越し業者がなかったから、親父が借りたトラックに布団を積んで、岐阜から東名を走って、横浜インターから国道16号線経由で八王子にやってきた。先日、八王子で仕事があったので、久しぶりにかつて住んでいたアパートに立ち寄ってみようかな、と思ったんです。グーグルアースで見たら、建物が残っていたのですが、行ってみたら更地になっていました。犬を散歩させていた女性に聞いてみたら、「道路拡張で、ひと月前に取り壊されましたよ」という返事で、ちょっと呆然としちゃって。

――日比野さんが18歳の時ですから、住んでいたのは45年前の話ですね。

日比野　45年前にあった建物が、ひと月前までは残っていた。それを聞いたら、急にさびしさに襲われましたね。たとえば自分の親の最期、別れ際に会えなかったような気持ちですよ。その場にたたずんでしまって、はたから見ると、「あの人、空き地で何をたそがれているの？」という、まさに〝偏愛者〟をやっていました（笑）。

大友　アパートの周囲、変わっていませんでしたか。

日比野　周りは風景が全部変わっていました。それだって相当さびしくて、建物が建っていたら、まだしも諦めがついたのですが、更地を見ると、ここに部屋があって自分がいたんだよなと、愛しくて。昨年（2021年）は、大学卒業後にアトリエとして使っていた渋谷のマンションが取り壊しになりました。1985年から35、36年にわたって使っていた場所で、築年数からいうと、取り壊されても仕方ないかな、と思ってはいたのですが、更地になると、やっぱりさまざまな思いが湧き上がってきて、なくなったからこそ恋しい、という感情を味わっています。

隈　東京は、そういう個人の感傷とは別に、どんどん新陳代謝していく街ですよね。

日比野　東京の建物の平均寿命は20年という統計があるそうですね。そのスピードは世界の諸都市に比べても速いものと思いますが、全部がガッとなくなるというよりも、虫食い状態になって変わっていくところに、何ともいえないさびしさを覚えますね。

隈　大友さんの選んだ吉祥寺は基本的に住宅街ですが、駅周辺の商業施設、お店はどんどん変わっていますね。

大友　変わっていますね。特にコロナ禍では、僕の行きつけの飲み屋が3軒くらいなくなって、お店がなくなるスピードが速くなっているんですよ。小さな店もさることながら、大きなビルがなくなると、ここに何があったかな？と、全然思い出せずに驚くことがあります。

不思議な人がたくさんいる東京。それが面白くて仕方なかった――。（大友克洋）

――滝さんは96年に「ぐるなび」を開設して、インターネットを通した街情報のアップデートをいち早く届けてきたわけですが、ぐるなびに出ているお店も、実際の街の変化とともに、新陳代謝が激しいですよね。東京の変遷について、どのようにご覧になっていましたか？

滝久雄（以下、滝）　僕は太平洋戦争が起こる1年前の1940年に東京で生まれて、3歳の時に香川に疎開したんです。その後、岡山に移って10歳まで過ごして、東京に戻ったのが50年。大友さん、隈さん、日比野さんが東京に目覚めるずいぶん前から、東京を見ているんです（笑）。僕が小5で東京に帰ったころから戦後の経済成長は本格化し、東京がその中心になりましたが、東京の変わりようは、鉄道をベースにした都市の展開という意味では完全に僕の想定内でしたね。

――変わることを予見していたのですか。

滝　はい。東京は僕の思っていた通り、駅を要にして発展しました。東京に限らず、日本の都市部は鉄道が整備されていて、駅が街の中心になって賑わいを生み出しています。そこが大きな特徴で、東京のパブリックスペースやコミュニティも駅を中心に発展しました。そのピークが昭和時代でしたよね。いま、時代が変わって、駅前の空洞化がいわれてはいますが、東京でいえば鉄道網はまだまだ強く、利便性が十二分にあります。駅前の空洞化という問題は、戦後の復興があまりにめざましく、何もしなくても成長できたから、価値を見逃してしまったんですね。いま、もう一度、鉄道の価値を認めて、駅を中心にした地域づくりに取り組んでいけば、東京ならず日本の再生ができると本気で考えています。それこそが「偏愛東京」を立ち上げた意図でもありますね。

——一方で、変わらない景色の一つに、大学があるんじゃないかと思います。日比野さんにとって、東京藝大が位置する上野エリアはいかがですか。

日比野　東京藝大は「上野公園」の端っこにあって、その北側が谷根千（谷中・根津・千駄木）エリアになるのですが、キャンパス内の雑木林は、原生林として貴重な植生が残っているとのことで、街とは隔絶された雰囲気があるんですね。僕自身のキャンパスの記憶にも、大きな楠が印象的に刻まれていて。そういう環境だからこそ、世の中の情報に左右されずに自分の土台づくりに集中できるわけで、それはいまも昔も変わっていませんん。でも、僕が学生のころは、その環境が時間を止めているみたいで嫌だったんです。

――上野駅界隈は賑わっていたと思いますが。

日比野　僕が学生だった70年代後半から80年代前半は渋谷が「来て」いた時代でしたので、上野は街としても、ちょっとくすんでいた。でも、校門から一歩外に出て、上野公園から上野駅と御徒町あたりの街中まで出ると、雑踏とともに、世の中の動き、情報が嵐のようにダダダダダッと湧いてくることは感じました。その対比、ギャップの激しさが都市的でしたね。

――アメリカのボストンや、イギリスのオックスフォード、ケンブリッジなどは大学が一つの街になっていて、キャンパスとダウンタウン（中心市街地）が混ざっています。東京と大学の関係性について、隈さんはどのようにご覧になっていますか。

隈　ボストンやオックスフォードのように、大学が街と混然一体となっているところは、東京に限らず日本では少ないですね。大学は基本的に壁に囲まれていて、街と区別されています。ただ、東大、早稲田大学などは、かなり街に開かれていて、住民もよその人も、キャンパスを通り抜けできるようになっていました。コロナ以降、そういうことが厳しく制限されるようになっていますが、壁があるようでいて、街につながっている。それが東京らしい開き方だったんだと思います。日本の場合、壁は一応作るけど、「だましだまし」で街とつきあっていく。そういうやり方で、結果、劇的にうまくいっているんじゃないでしょうか。

日比野　東京の大学は80年代、90年代に、都心から郊外への移転ラッシュになりました。しかし、通いづらい場所だと学生も集まりにくく、また学業を行うにしても、不利な点が多いということで、ゼロ年代からまた都心回帰が始まりましたね。

隈　時代によって微調整を繰り返しながら、うまく折り合いをつけていっている。それが東京という街の、いい感じの連続性になっていると思いますね。これが強権国家の都市だと、決められた計画を、圧倒的なスピードと実行力で進めていくわけで、見たこともないすごい眺めが短期で出現する一方で、「だましだまし」の面白さは出ない。日本の大学はある意味、強権とは無縁の弱い存在で、弱いなりに頑張ってきたから、独自のやり方で街との関係を築いている気がします。

同じ志を持つ人たちがたくさんいるところに、東京を感じる――。（日比野克彦）

日比野　大友さん、漫画家から見た時の東京の面白さは、どういうところにありますか。

大友　僕はとにかく、上京した時には東京が面白くてしょうがなかったですね。東京には不思議な人がたくさんいましたし、街も古いものと新しいものが一緒くたになっている。そういう何でもアリの状況が、『SOS大東京探検隊』なんかの作品につながっていったと思います。

――いま、大友さんは都市のハード面じゃなくて、ソフト面をおっしゃったと思いますが、まさに日比野さんもコンテンツを作る側におられます。日比野さんは東京の面白さをどのようにとらえていますか。

日比野　東京に出る前、地元の岐阜で美大、藝大に行こうと勉強を始めたわけです。美術って、お手本があって、教科書があって、答えがあるという分野ではないので、自分で絵を描いていても、良いのか悪いのかよく分からない。デッサンはリアルなものだから、よくできているか、そうでないか、まだしも自分で判断がつきますが、「夏」をイメージしましょう、といった抽象的な課題になると、自分で描いていても、「これ、どうなのよ」と、分からなくなってくる。

高校2年の時に、夏期講習ではじめて東京に出た時、予備校には100人ぐらいの生徒が集まっていて、まず、同じ高2で美術を志しているやつらがこんなにいるのかと、そこにびっくりして。その時に、まさしく「夏」をイメージしたものを描け、という課題が出たのですが、予備校生が描く100通りの夏のイメージが並んだ時に、東京ってすごいなあ、と実感しました。

――日比野さんにとっては、人数の多さが東京だった、ということですね。

日比野　人混みに行っても、知っている人が誰もいない、というのが、僕の中ではいちばん東京らしく感じるところかな。これは、地方の人なら誰でも共感してくれるポイントじゃないでしょうかね。

大友　それは僕も分かりますよ。人がいっぱいいるのを見て、今日は祭りがあるのか、と思いましたもの（笑）。あんな人混み、田舎じゃ、祭り以外にはありえない。

日比野　東京は毎日がお祭りみたいなところですよね。

――近年の東京の節目ということで、「東京2020オリンピック・パラリンピック」についてもお聞きしておきたいと思います。みなさんご承知の通り、2020年は東京で2度目のオリンピックが開かれる年でしたが、新型コロナウイルス感染症の世界的なパンデミックが起こり、1年遅れで開催となりました。その後、ウクライナ侵攻が起こり、世界中がパンデミックと戦争という不穏な動きに投げ込まれています。この感じは、気持ち悪いくらいに『AKIRA』の世界観につながると思っています。大友さんがこの作品を描かれた時、こんな40年後を想像していましたか。

大友　適当ですよ、そんなのは（笑）。未来を当てようとして描いたわけでなく、たまたま、いくつかの要素がいまの時代に重なった、ということじゃないですかね。ただ、オリンピックは4年に1度だから、もし東京で次が開催されるとなると、2020年あたりじゃないかなと、計算したのは覚えています。ただ、何か確信があって20年に設定したわけじゃない。単なる偶然です。だって、僕は賭け事がほとんど駄目で、競馬とか麻雀とか、当たったことなんてまったくなかった。そんな予言能力があったら、漫画は描いていませんよ（笑）。

――東京2020オリンピックのメインスタジアム「国立競技場」の設計に携わったのが、隈さんです。東京の景色の再設計をされたわけですが、実際に取り組んでみていかがでしたでしょうか。

隈　1964年の東京オリンピックの時、僕は小学校4年生、10歳でした。当時の僕は東横線を中心にして、あちこちをフラフラ移動することが好きな小学生でした。そんな子どもにとって、あのころの東京の変わり方は、すごくドラスティックで面白かったですよ。親父に連れられて、渋谷から原宿まで歩く途中に、丹下健三さんが設計した「代々木競技場」があって、圧倒されましたね。そういう原体験があって、建築家を目指した自分がいたからこそ、東京2020オリンピックでメインスタジアムの設計に携わることになった時は、次の世代に感動を伝えられるものにしたいと強く思いました。

――大友さんも、64年の東京オリンピックは覚えている世代ですよね。

大友　今、隈さんがおっしゃった丹下健三さんから僕が受けた影響は大きいです。『ＡＫＩＲＡ』に出てくるネオ東京のイメージは、丹下さんの発想も土台にしています。その意味でいえば、『ＡＫＩＲＡ』は近未来の東京ではなく、60年代の東京を意識して描いていたといえますね。そのころ、東京では安保反対が激しく湧きあがっていて、デモもしょっちゅうあった。昭和の印象として、自分の中に残っているものを『ＡＫＩＲＡ』の世界観にしていますね。

隈　それが現在の東京とシンクロするのは面白いですよね。作家の予見性といいましょうか。

大友　不思議な感じがしますけど、東京2020オリンピックが1年延期になったのは、僕の責任ではありません（笑）。

――日比野さんは64年の東京オリンピックについて、何か思い出はありますか。

日比野　僕は小学校1年生で、そのころはカラーテレビがそんなに普及していなくて、親父と一緒に岐阜の駅前の喫茶店に開会式を見に行ったことを覚えています。すごくたくさん人が集まっていて、日本選手団が真っ赤なブレザーと白いスラックス姿で入場行進していく様子を、親父の肩車で見ていましたね。小学校では担任の先生が、チャスラフスカ、チャスラフスカって、繰り返し言っていた。チェコスロバキア（当時）の女子体操選手で、金メダルを獲って、「名花」と謳われた人です。名前の音が日本語では珍しく、リズムもよかったので、先生も連呼していたんでしょうね。それを子どもたちも面白がってはやし立てる、という昭和的な光景でした。

東京にある鉄道網と商店街。その資産を活用すれば、日本は再生できる——。（滝久雄）

——過去を振り返ったところで、次は未来の話を聞きたいと思います。これから、いろいろな人に東京を「偏愛」してもらうために、隈さんは建築家として、今後どのようなことをやっていきたいと思われますか。

隈　東京は小さいもので勝負していくべき場所だと思います。

——国立競技場に携わった建築家として、それは意外な言葉ですね。

隈　近年は特に中国、アジア諸国で大きなプロジェクトをいろいろ手がけていますが、やればやるほど、大きいプロジェクトで日本が勝負しても勝ち目がないな、と感じてしまうんですよ。大きい建築では意思決定のプロセスが複雑になりすぎていて、それに伴って足の引っ張り合いも大きくなりすぎて、日本人のメンタリティにそもそも向いていない。向いていないところに、無理して大きなものを作っても、うまくいかないよな、と自分でも葛藤を感じるんですね。

一方で、東京は小さいものをつなげていくと俄然、面白くなる。つなげる材料は建物だけでなく、路地や人的ネットワークもそこに入ります。たとえば、建築計画としてはバラバラだけど、相互に人のネットワークがあるから、地域全体がつながっていく。そういうあり方に、日本人は独特の才能を発揮していると思います。

――その意味でいうと、『AKIRA』のネオ東京ではなく、ネオ吉祥寺みたいなものができたら面白いですね。

隈　吉祥寺は不思議なつながり方をしていますよね。住宅的なものと戦後の闇市的なものが、無理なくつながっている。みんなが吉祥寺を愛して、住みたい街だと言うのは、そういうところが面白いからだと思いますね。

――日比野さんは藝大生と学ぶ「アート×福祉」を旗印に、「DOOR（Diversity on the Arts Project）」をリードされ、その軌跡を『ケアとアートの教室』という本にまとめておられます。デザイン、そしてアートが街や世界に重要だという話は、これまでもよく論じられてきましたが、次のフェーズとして「ケア」が登場していることが、新鮮で興味深いと思いました。日比野さんがこのテーマで学生さんや周囲の人を鼓舞している理由について、教えていただけますでしょうか？

日比野　日本全体はもちろん、東京に限っても高齢化は現在進行中の社会課題です。その中で、若い人たちだけでなく、高齢者の方々が気軽に出ていけて、楽しめる街ってすごく重要ですよね。東京にいると、実は人ってかなり歩く、というか、歩かされるんです。地方は車社会になっているので、かえって歩かない。東京は地下鉄に乗って、階段を上って、街の中を歩いてと、運動を余儀なくされる。しかも、東京は歩いていて面白い。表通りの裏には、車では行けない路地がたくさんありますし、くねくねした道の先に、どんな風景があるんだろう、と好奇心をかきたてられる。そうやって、行ったことない場所を歩く中で、ヘンな店に遭遇したり、知らないギャラリーに入ったりしているうちに、新しい出会いが広がっていく。

――言葉を変えれば、東京の魅力をもっとアップデートしていくには、全員歩けるようにすればいいのでしょうか。

日比野　そう、歩き回れるってことが大事なんです。健康な人だけでなく、車椅子の人も、100歳の人も、病気を抱えている人も、普通にみんなが行きたいと思うところに自由に行けるようにする。健康に不安のある人は、その人がどこにいるかデータで管理できて、いざという時に助けに行けるようにする。街の中に、酸素ボンベを使えるようなサービスステーションを作ったり、高齢者が使える休憩所や待ち合わせ場所を設けたりと、そうやって街を設計すればいいんです。

隈　僕も日比野さんが唱える微視的アーバンデザインこそが都市を救うと考えるようになりました。それこそが、都市計画ということですよね。

日比野　僕は前から「アート×福祉」のテーマはやりたいと思っていたんです。

滝　東京圏には約3300の商店街があります。それら商店街を徹底的にカバーして、高齢者でも、車椅子でも自由に行けるようにする。3300の商店街を活性化させれば、超高齢社会でも、すばらしい東京が作れると思っています。いま、足元を見直すと、その動きをリードする要素って、大学が全部持っているんですよ。日本の大学が街ときちんと向き合い、連携できたら、そこから学生が高齢者のケアをする、なんていうアルバイトにだって、絡められますよね。10年前から言い続けているんですが、ようやく、そうかもしれないね、という流れになってきていて、その実践地としても東京の力というものは発揮できるんじゃないか。そう希望を持っているところです。

――滝さんの「偏愛東京」の企画は、〝東京の雑踏の中の声〟を集めてくる試みでもありますよね。

滝　そういう結果になりそうですね。東京は鉄道網という大きな資産があり、駅ととももに発展した商店街にも、まだまだ大きな可能性が眠っていると確信しています。私の仕事でいえば、「偏愛東京」は「レッツエンジョイ東京」のキラーコンテンツとなるように育てていきたいと考えています。私たちの会社には「LIVE JAPAN」というインバウンド観光情報プラットフォームがありますし、それ以外に世の中には既存のデータベースや、グーグルのデータベースもあります。それらを大いにマッチングさせて、見る人に使いやすいようにというUX（ユーザーエクスペリエンス）はもちろんのこと、ソフトウェアの面でも、従来のプラットフォームを超えた、わくわくできるものにしたいと思います。

——みなさん、どうもありがとうございます。いただいた発言から、さまざまな東京観が見えてきました。次章から、それぞれの「偏愛東京」について、さらに語っていただきます。

（2022年5月、東京工業大学にて開催の特別シンポジウム「〝偏愛〟という視座で、東京の未来を探る。」から収録）

第2章

東京の魅力は、目立たないところに埋まっている

隈研吾の「偏愛東京」

神楽坂で大家さんをやっています

東京でどこがいちばん好きかと聞かれたら、やはり自分が住んでいる神楽坂を最初に挙げますね。

神楽坂は神田川、つまり江戸時代の外堀の、さらにその外側にある一帯で、名前の通り、神田川が脇を通る水道橋から丘を上がっていく坂道を中心とした街です。丘のピークに達すると、今度は江戸川橋に向かって、ゆるやかに下っていく。

その江戸川橋は、印刷工場をはじめとするライトインダストリーが集積している場所です。高低差がある中に、川、丘、谷、路地、緑、ライトインダストリー、そして、ぐしゃぐしゃの飲み屋街が集まっていて、東京の中でも一種、不思議な街を形成している。もともと都市の中心から離れた、周縁的カオスが生まれる地形で、その雰囲気が僕はすごく好きなんです。

東京はいま、どこもかしこも超高層タワーだらけになっていますが、そんなタワー時代に神楽坂だけは、昔ながらの低層の街並みを維持している。ここでは、昔からの地主さんがけっこう土地を持っていて、地代と家賃が比較的安いままなんですよね。だから店のメニューも安くなるし、「神楽坂値段」という言葉も実際にあるぐらいです。

街にそういうセッティングができると、周辺の家賃が高くなっても、相場は意外と上がらないらしい。家賃が低く抑えられているからこそ、ちっちゃい店が街に集まっていられる。そうでないと、いまどきの街はチェーン店だらけになっちゃうじゃないですか。街がチェーン店で埋め尽くされないことが東京では重要で、その環境が神楽坂にはあるのです。

神楽坂には僕が大家さんをしているシェアハウスが3軒あります。

20世紀の東京は「マンション」と呼ばれるコンクリート建築で埋め尽くされました。僕はこの「マンション」が東京を殺したと思っています。それ以前に東京にあった木造のアパートでは、人々が集まって暮らしていましたが、コンクリートのマンションがはびこるようになってから、人の暮らしが分断されてしまいました。

神楽坂でのシェアハウスのプロジェクトは、その居住スタイルをもう一度取り戻すつもりで手がけました。リビングルーム、食堂、ルーフトップ、小さなベッドルームがあり、ここに7人の若い世代の人たちが集まって、ともに暮らしています。日本では「シェアハウス」という言葉が一般的になっていますが、僕は「ともに住む」という意味で「コ・リビング」という言葉を使っています。

屋上に上ると、新宿区の様子が見渡せて、低層の街ならではの風通しのよさがあります。入居者は学生、社会人とりまぜて、仕事もさまざま。タイ人、韓国人ら外国の人も多くて、共用のリビングでファッションショーを催したり、キッチンで各国の料理を作って、みんなで食べるイベントも行ったり。それらに僕も時々参加して、わいわいと暮らしています。

人と街との「とりあえず」の関係

神楽坂の魅力は高低差のある地形だけではなく、その谷底に息づいている庶民文化的な側面にも感じることができます。

ここの一帯は戦火をまぬかれたといわれていますが、それはウソで、太平洋戦争の時は空襲を浴びて焼け野原になりました。その中で、いち早く復興した花街が、現在に続く街並みのもとになったんです。どんな焦土になろうとも、人間は花街方面の遊びは我

古い街並みが残る神楽坂（写真提供：共同通信社）

慢できないようになっていて、とりあえず安普請でもいいからと、木造であっという間に再建したそうです。

その「とりあえず」の再建が神楽坂を守ったんですね。戦争で焼けた東京の街は、コンクリートの建物で建て直されていきましたが、神楽坂は戦後の都市改悪の犠牲にならないで済んだのです。

21世紀の建築とは、人と街を「アクティベート（つなげて活かす）」するものだと思います。神楽坂にある「赤城神社」では、２０１０年に社殿とともに、コミュニティのためのオープンホールを設計しました。

もう一つ、神楽坂では新潮社の倉庫だった建物をリノベートした「ラ・カグ」もあります。この建物は、建物それ自体ではなく「階段」をデザインしたようなものです。実際、もとの倉庫の建物は、ほとんどいじりませんでした。「階段だけ？」と思われるかもしれませんが、道路と建築とをつなぐ大階段をデザインするだけで、建物の存在感、周囲との関係性は変わるということを証明したかった。リノベーション後、階段には人々が集まるようになって、街と建物の関係がどんどん変わっていきました。

建築が輝く治外法権の場所

田舎から東京に出てきた友人からよく聞くのは、最初、大きいビルを見て「これぞ東京だ！」と、圧倒された思い出です。その気持ちは僕もよく分かります。でも、そういった遠目の印象って、実はすぐに飽きてしまうものなのです。

そして、みんな、飽きたところから、自分の東京――〝マイ東京〟を発見していく。大きさに圧倒されながら、やがて少しずつ自分の居場所を見つけていくのです。その作業、過程こそが「偏愛東京」で、そのタネがたくさん散らばっているのが、東京という都市の懐の広さだと思っています。

都市の面白さは、大きなものとは違うところにある――。そう考える僕の視点は、子どものころに過ごした大倉山（横浜市港北区）の環境で育まれたと思います。

大倉山は面白いところで、渋谷から横浜に行く東急東横線の途中、タイムポケットのように取り残された里山的な場所にあります。東京と横浜を結ぶから「東横線」と呼ぶわけですが、多摩川を渡る直前に、田園調布という東京でも有数のザ・高級住宅街があります。

僕は母の方針で田園調布にある幼稚園、小学校に通っていました。そういう子どもがどう育つかというと、田園調布的なものを僻目（ひがめ）、批判的に見るようになる（笑）。実際、同級生の家は、すげえな、と思わせる邸宅もある一方、成金的で子どもの目から見ても恥ずかしいものもあった。それら両方を見ながら、成金的なものをばかにしていく視点が育っていくんですね。

余談ですが、アーティスト集団「Chim↑Pom from Smappa! Group（チン↑ポム）」のフロントウーマンを務めるエリイも、大倉山の近くで生まれ育って、4歳から6年間、僕の家で妹にピアノを習っていました。彼女は田園調布雙葉学園に通っていて、大倉山と田園調布のギャップをすごく僻目に見ていたと聞きました。世代は違うけれど、大倉山はエリイと僕の批評精神を育てた街なんです（笑）。

中学、高校は大船にある栄光学園に通いました。その大船が位置する鎌倉市がまた、別のエスタブリッシュメントの土地で、ある種のいやらしさがある。ここでも僕は僻目を磨いてしまい、結局、どこにも居場所がない10代を過ごしました。

世間は僕のことを、「歌舞伎座」や「国立競技場」に携わった、メインストリームの建築家としてイメージしていると思いますが、実は建物の規模は僕にとって、それほど重要ではなく、変わった場所、キャラクターのある場所に建築を作ることがいちばん面白いと、ずっと考え続けてやっています。

変わった場所とは、たとえば水っぺり、川っぺり、凹凸のある土地、変形の区画など。僕らの仕事は、クライアントが土地を探して、そこに何かを建ててほしい、といわれて成立するものですが、考えてみると、川沿いに頼まれるパターンがなぜか多いですね。

1996年に福島県の阿武隈川沿いで、お蕎麦屋さんの店舗を作ってほしいと声をかけていただきました。立地を見たら、本当に川の際です。こういうところは既得権ゆえ、建築基準法とか、都市計画法とかに縛られない、ある種の治外法権的な場所になっている。こういう立地で建物を作ることが、実はいちばん楽しい。依頼を受けた時は「やった！」と思いました。

そのお蕎麦屋さんは東日本大震災の後に閉店して、ずっと空き店舗になっていました。でも、建物が立地する玉川村が複合型の水辺施設として再整備計画を進めています。災害で建物が一度、末路を迎え、10年以上年月がたった後によみがえる。そんな経緯も含めて建築なんじゃないでしょうか。ともかく、ヘンな土地が好きな人が、僕を選んで依頼をしてくださる。それがいいのです。

建築家のエゴを消して、環境に寄り添う

東京からちょっと離れますが、フランスで設計した「ブザンソン芸術文化センター」も、立地はフランス東部、内陸を流れるソーヌ川支流のドゥー川沿い。イギリスのスコットランドで設計した「V&A（ヴィクトリア&アルバート・ミュージアム）ダンディー」も、立地は北海に至るテイ川沿いです。

ブザンソンも、V&Aも設計競技（コンペ）を経て僕らが選ばれたのですが、コンペでは建物でなく、川が圧倒的な主役に見えるようなデザインを心がけました。こういう時、建築家のエゴ、表現欲を主役にすると、川という自然に負けてしまいます。実際、最終ラウンドに残りながら落選した案は、川に注意を払っていない印象で、そこがもったいないなあ、とライバルながら感じていました。

国内で手がけた建築では、「那須芦野・石の美術館STONE PLAZA」（栃木県、2000年）で農業用水を敷地に引き直しましたし、「長崎県美術館」（長崎県、05年）

では運河を最大限に引き立てて建物を作っています。長崎美術館は、運河が敷地の中央を通っていますので、その運河にフタをするという建築中心的な案も出ていました。僕は運河こそが主役だと思って取り組みました。

それらのほかにも「水／ガラス」（静岡県、1995年）は、ガラスのリビングルームの周囲に浅い池を張り巡らし、その水が視覚的に太平洋につながって、水と海が溶け合うような眺めにしています。川、海、運河、そして農業用水まで、僕は水が好きなんですね。

実は国立競技場の敷地も、渋谷川の支流が流れている土地です。国立競技場の時は、東京に水を取り戻すことを意識しました。地上30メートルの回廊に設けた「空の杜」は、空中の散歩道として、市民に開放している空間です。現在は予約制になっていますが、水辺、緑、路地といったものが、ガラスとコンクリートだけになりがちな大建築にも反映される。そういう時代に、やっとなりました。

外苑前は神楽坂と並んで、東京における僕の居場所です。80年代半ばにニューヨークのコロンビア大学で客員研究員を務め、その留学から帰って事務所を構えたのが、外苑前の土地でした。以来、同じエリア内でいくつか引っ越しはしましたが、いまもオフィスは外苑前にあり、毎日、国立競技場の脇を通って出勤しています。

もともと神宮外苑というエリアは、学生時代に、よく遊んでいた場所でした。昼間は国立競技場の隣にあった「外苑テニスクラブ」でテニスをして、夜は競技場の中にあった「スポーツサウナ」というジムに行く。いまはサウナ好きが「サウナー」と呼ばれて、おしゃれなサウナが日本中にできました。外苑前のサウナなんていうと、セレブな響きに聞こえますが、国立競技場の中に隠れた、学生でも通えるような、お気楽なサウナでした。

運動して、サウナで汗を流して、ビールを飲んで、ラーメンを食べて、建築の図面を徹夜で描く。そんな日常の思い出が詰まっている場所が外苑前なのです。

丹下健三「代々木競技場」が少年の将来を決めた

ここで1964年の東京オリンピックに時代をさかのぼりたいと思います。

当時の僕は10歳、小学校4年です。ある日、親父が10歳の僕を「代々木競技場（国立屋内総合競技場）」に連れていきました。大倉山から東横線で終点の渋谷まで行き、渋谷駅から代々木競技場へと坂道を上った時のことを、いまでもはっきり覚えています。

渋谷はすでに大きな都会でしたが、駅はその名の通り「谷」に位置していて、周辺に東横デパート（東急百貨店東横店）と商業ビルが目立つぐらい。高層ビルはなく、1階、2階建ての木造の建物がほとんどでした。

代々木競技場は、原宿駅とつながる丘に建っています。渋谷から原宿に至る地形は、谷から丘に上っていくもので、丘の上の競技場の建物は、まさに記念碑的なたたずまいでした。

「誰がこれを作ったの?」と聞いた私に、父は「丹下健三という建築家だよ」と答えました。「建築家……そういう職業があるんだ!」。その瞬間です、僕が建築家を志すことになったのは。

当時、日本は第二次世界大戦に敗戦し、アメリカの占領から独立した後の「拡大」の時代でした。人々は力強く、リッチで、より大きく、より高い建物を志向していました。丹下さんは頭のいい人だったので、日本人の時代への欲望を見出して、見事に建築へと結実させせました。

通常、「体育館」「競技場」の建物に高さは求められません。しかし、丹下さんは東京で開かれるオリンピックの象徴となる建物を、コンクリートの支柱から宙づりにすることで、天空を目指しました。それまで宙づりの土木工法といえば、橋で使われるだけで、建物には使われていませんでした。丹下さんは構造設計家の坪井善勝先生と一緒に、人々があっと驚くソリューションを見つけて、美しい屋根の形とともに、宙づりの建物という新時代の建築を実現したのです。

その横にある「代々木第二体育館」も同じく丹下さんの設計で、ここではまた別の構造にチャレンジしています。代々木競技場の建物は、渋谷、原宿の地形、ランドスケープともつながる設計で、緑と建築とが一つに融け合っています。環境の時代を先取りするような建築とランドスケープとの調和も、丹下さんが戦後の日本ではじめて実現させたものです。

いまだから、僕にしても、いろいろ振り返って分析できますが、当時は何も知らない子どもなので、ただただ圧倒されるだけ。少年だった僕は、東横線に乗って、代々木競技場に通い詰めることになります。目当てはあのプールで泳ぐことでした。

実際、代々木競技場はインテリアもすばらしかった。第一の特徴は天井がとても高いことで、アメリカ人のオリンピアンが「ああ、ここは天国のようだ」とつぶやいたというエピソードは有名です。

建設中の「代々木競技場」（写真提供：共同通信社）

脇道にそれますが、この時、代々木競技場は1年半の工期で建設されたそうです。当時、人々は24時間労働で働いていました。いまのように「ブラック労働」という言葉もない時代です。リスク管理の発想や手法も行き渡っておらず、工事には危険がいっぱいで、たくさんの方が亡くなりました。現在と隔世の感がありますが、建設に携わってくださった人たちに、感謝の念を禁じえません。

世の中のブームに、逆らいたい

東京で手がけた建築プロジェクトは50件以上に上りますが、僕が自身の建築を通じて、東京と本格的に関わり合うようになったのは、1991年完成の「M2」が始まりだったと思っています。

大学院を修了して、大手の設計事務所でサラリーマンとして勤め、その後85年から1年間、ニューヨークのコロンビア大学で客員研究員を務めました。留学から帰って、自分の事務所を構えた86年は、バブル景気がピークに向かうタイミング。建築学科卒業の友人たちからは、仕事が次から次へと舞い込んできて、うれしい悲鳴を上げている、などという景気のいい話を聞かされていました。

僕はもともと、そういう世の中のブームとか流れとかに逆らいたくなる性質で、時代が華やぐほど、ナナメにその現象を見つめてしまう。ニューヨーク留学中も、口が達者なネイティブのアメリカ人学生たちに逆らいたくて、地下の図書館にこもって『10宅論』という、皮肉とたわむれに満ちた住宅エッセイを書いていました。

80年代のマイホームブームを、「清里ペンション派」「ワンルームマンション派」「カフェバー派」などに分類して、それらの類型を批評する、という意地悪な内容です。それが86年に単行本デビュー作として出版された時、博報堂の方が面白がってくれて、新しい建築プロジェクトに声をかけてくれました。

それは環状八号線沿いに立地する、自動車メーカー、マツダのスポーツカー「M2」に特化したショールーム兼デザインスタジオのプロジェクトでした。マツダはいまも昔も、とんがったデザインで独自の車を開発していて、僕もその姿勢に大いに共感する者です。その時、僕に声をかけてくださった博報堂のチームも、普通とは違うもの、批評性のあるものを求めるという「ヘンな」人たちでした。

時はバブルへの上り坂。東京には、有名無名さまざまな建築家、デザイナーに加え、空間プロデューサーといわれる人たちが、個性豊かなクライアントとともに活躍して、こけおどし的な建物がバンバン建てられていました。

そのカオス的な状況を批評するつもりで、ガラス張りのモダンなハコの中央を、巨大なイオニア様式の列柱が貫き、その中をむき出しのエレベーターが上下する、という破天荒なショールームを僕は設計しました。

91年に建物が完成すると、それこそがバブルの象徴とされて、マスコミや建築界から、バッシングにあいました。僕が意図した批評は、まったくといっていいほど、世の中に伝わらなかったのです。

折悪く、バブル景気も91年を境に、急速に終焉へと向かっていきました。僕の東京での仕事はすべてキャンセルされ、90年代は吹っ切れたように、日本の地方を積極的に回るようになりました。

愛媛県今治市の「亀老山（きろうさん）展望台」（94年）、静岡県熱海市の「水／ガラス」、宮城県登米市の「伝統芸能伝承館『森舞台』」（96年）、栃木県那須郡那須町の「石の美術館」、同郡那珂川町の「那珂川町馬頭広重美術館」（2000年）など、20世紀最後の10年に日本の地方で建築に向き合った経験は、僕の中に非常に豊かな着想を与えてくれました。

この経験があったからこそ、北京の「竹屋」(02年)や、フランスの「ブザンソン芸術文化センター」など、海外で地方と四つに組んだプロジェクトを手がけることができましたし、21世紀以降、その場所にこだわる方法論とともに、東京に再び戻ってくることもできたのだと思います。

裏道が建築を豊かにする

バブルがはじけた後の10年間は東京から離れていた時期で、いよいよ東京にカムバックを果たしたのは、２００２年完成の「ＡＤＫ松竹スクエア」が皮切りです。そこから「ＯＮＥ表参道」(03年)、「サントリー美術館」(07年)、「根津美術館」(09年)と、都心での刺激的な仕事が続き、13年の歌舞伎座の建て替えで、都市・東京に対する覚悟が問われる仕事に取り組むことになりました。

パリのエッフェル塔が有名な例ですが、完成した時に絶賛される都市建築というのは、歴史の中でも少ないものです。新しい建物は、その存在が大きければ大きいほど、都市の異物として論じられる宿命にあります。

歌舞伎座の場合は、松竹という伝統あるクライアントから、東京都というお上、歌舞伎役者、舞台関係者、評論家、歌舞伎ファンまで、さまざまな方々が、愛ゆえに十人十色の意見を持っており、まがりなりにもそれらの方々の多くに納得していただくデザインが必要でした。

中でも、僕が特に苦慮したのは、石原慎太郎都知事（当時）から求められた、瓦屋根を取るという提案を、いかに突っぱねるかでした。

我々のイメージにある歌舞伎座とは、あの堂々たる唐破風（からはふ）の瓦屋根があってこそのものです。劇場とは都市の祝祭空間であり、歌舞伎座は江戸時代から日本人のＤＮＡとして伝えられた「傾く（かぶく）」世界を堪能する場所です。何度も模型を作る過程で、この点に対する確信だけは揺るぎませんでした。

プレッシャーは強かったのですが、ここでモダニズムを安易に受け入れてしまったら、僕らは後世まで「歌舞伎座をハコにした建築家」として、語られてしまいます。かといって、ただ先代の建物を踏襲すればいいといった単純なものではなく、時代にあった採算性や効率性も同時に解決していかねばなりません。そのために、背後に超高層のオフィスタワーを建設する必要もありました。その超高層と共存しつつ、東京のシンボルを守り抜く。建物の大きさ、存在感と比例して、苦労も大きい仕事でした。

そのような巨大な難問と格闘する中で、僕が最も心を砕いたのは、大きなところよりも、等身大の小さな部分でした。

歌舞伎座は東京の目抜き通りである晴海通りに面して建っています。その東側は路地の風情が残る木挽町につながっています。銀座に歌舞伎座ができたころから、開演前や観劇後のお楽しみは、それらの横丁で食事やお茶をすることでした。木挽町は料亭文化が根付いた土地でもありますが、そこまで高級ではなくとも、シブくておいしい名店が存在しています。そんな銀座の裏路地的なカッコよさ、タイムスポットにはまり込んだような不思議さが、新生歌舞伎座のプロジェクトでは、いちばんのチャームポイントになると思いました。

銀座は日本を代表するショッピング街ですが、実は表通りを一歩入ると、下町的な路地がいまも残っていて、庶民文化を彷彿させる小さな店もいろいろあります。おのぼりさんは、最初は表通りを歩きますが、銀座に通ううちに、だんだんと裏道を探検するようになって、〝マイ路地〟を発見していく。

木挽町もいまでは料理店跡がマンションに変わっていたりして、かつての風情が薄

「宝珠稲荷神社」が昔の街の風情を伝える木挽町通り（写真提供：共同通信社）

まってきてはいますが、エリア全体で眺めると、文明開化以来の東京の息吹を感じることができる。築地には日本ではじめて建築史を教えた、東京帝国大学名誉教授の伊東忠太という大先輩が設計した「築地本願寺」もあり、一帯の魅力を妖しげに盛り上げています。

大きな建物を作りながら、小さな路地を意識するという手法は、1990年代に地方での仕事を、自分流に思い切り楽しんだ日々があったからこそだと思っています。地方の街の原型は「路地」です。路地はもともと人間の身体にフィットしたサイズですから、人と街との間に対話が成立する。

そのことを体感して、建物に路地性を含ませる手法は、根津美術館や外苑前の「梅窓院」（2003年）でも援用しました。いずれも竹を植えた小径を作り、そこを路地空間と見立てて、建物にアプローチする。その体験を意図して作っています。

丹下建築から、どれだけ離れられるか

東京にカムバックしてからの試行錯誤は、国立競技場の設計に携わるための大事な基

盤になったとも思っています。

紆余曲折のあった国立競技場の設計では、丹下さんをリスペクトしながらも、丹下建築からどれだけ離れていけるかを、自分の中でのひそかな挑戦にしました。ギリシャ神話的にいうと、親殺し、父殺しですね。

丹下さんの建築は、日本がまさに工業化社会、コンクリート社会に突入した1960年代のもので、彼は鉄とコンクリートの時代を代表する巨匠でした。

対して僕は、人々の興味や価値観が、環境や自然との共生、土に根ざすこと――ダウン・トゥ・アースに向けられた、ポスト工業化時代を生きる建築家です。2020年代の人々は、建築に「巨大さ」や「力」をもう求めません。代わりに、大きな建築でも「安らぎ」「自然」「環境との共存」が重要だと考えます。これは、丹下さんの時代とは正反対のスタンスです。

国立競技場でいうと、まず建物の高さにこだわることで、新時代の建築の象徴にしたいと考えました。建て替え以前の国立競技場は、照明の上部までが60メートルありました。それをさらに巨大化したら、工業社会時代の大建築に逆戻りしてしまいます。そのため、逆に振って、50メートル以下にすることを目標にしました。それによって、目立つのではなく、周囲の景観を損なわずに、森にスタジアムを融かしていきたかった。高さを追求した丹下さんの逆をやろうとしたのです。構造を検討する中で、高さを50メートル以下にできそうだと分かった時は、目の前の霧が晴れていくようでした。

都市、東京を木造で作り替えたい

技術的な話をはさみますと、国立競技場の外観は、ひさしのデザインが特徴的です。ここでは最上部の大ひさしの下に、3層のひさしを配しています。これは視覚だけではなく、自然換気という環境面にも配慮したものです。電気のエアコンに頼るのではなく、できるだけ自然換気を使うようにと、当初から考えていました。最上部の大ひさしの角度と大きさによって風の流れを調整し、夏は南からの風を取り入れ、冬は北風をブロックすることで、それが実現できました。

また、敷地全体の環境を考えて、雨水のリサイクルができるようにもしています。3層の軒庇（のきひさし）にはメンテナンスが楽な東京の野の草を植えました。プランターは金属ではなく、バサルトという玄武岩を砕いて融かした繊維で作られています。丹下さんとは別の意味で、時代の最先端技術の集積というわけです。

もう一つ注目していただきたいのは、国立競技場で使っている木材の寸法です。たとえば屋根に使っているカラマツは高さ30センチの集成材です。大断面の集成材だと、木を使っていてもコンクリートのように威圧的になってしまい、日本の木造の「小ささ」を追求する精神に反すると思ったのです。30センチなら大工場ならずとも、小さな町工場で作ることができます。杉の羽目板は、日本で最も多く流通している10・5センチ角の材料を3枚におろしたものです。

技術革新が進んだいま、世界のトレンドとして、木造の競技場も登場しています。しかしその場合、木材自体は1メートル、2メートルという巨大な断面寸法のものを、コンクリートの代用のように使っています。僕はそのような特殊な木材ではなく、日本の普通の住宅のスケールで使われている、小さくて繊細な木材を使うようにしたかったのです。それなら日本中の小さな工場で生産が可能です。このことは僕にとって重要なこだわりでした。大きな設備がいらない普通の木材が、国立競技場という大きなスタジアムに使われていることで、僕が意図するヒューマンスケールで構成された親密な空間が可能になるからです。

ここで、技術的なことをお話しするのには、理由があります。

東京を木造の都市に作り替える、ということは、僕が建築家として社会に出て以来、ずっと胸に秘めてきた〝野望〟でした。しかし、１９８０年代からゼロ年代にいたるまでは、それを実現する技術がまだ確立していませんでした。ところが２０１０年代以降、建築技術のイノベーションはめざましく、いまでは木造での超高層も夢ではなくなっています。戦後、コンクリートで埋め尽くされた東京の都市景観は、明らかに次のフェーズに進んでいるのです。

そもそも日本の木造工法の歴史は非常に古いもので、7世紀建立の奈良・「法隆寺」の木造の建築物群は１３００年以上も継続して存在しています。木造はほとんどの部材が取り換え可能ですので、それゆえに長い生命を持つのです。

鉄、コンクリートによるスクラップ＆ビルドの時代が過ぎ、現代の工学は「持続可能性」と「取り換え可能性」が重視されるようになっています。法隆寺は１３００年前からすでにその考えで作られていました。そこが木造とコンクリートとの大きな違いであり、技術的にも重要なポイントだと考えています。

競技場のファサードは、日本の47都道府県産の杉（沖縄県だけは植生の理由から琉球松）を象徴的に使いました。杉が日本のすべての場所、すべてのコミュニティから来ているのです。「杉」という種類は共通していますが、その色は各地によって大きな違いがあり、日本の気候風土におけるダイバーシティを実感させます。日本とは何かというと、それはダイバーシティ、多様性なのだと僕は答えます。小さい国のようでいて、実はさまざまな杉の表情が集まる場所、それが東京なのです。

駅で分断された東京を、駅でつなげ直そう

東京2020オリンピックの開催前のタイミングでは、山手線の新駅「高輪ゲートウェイ駅」が開業しました。山手線の新駅としては、実に49年ぶりの建設となります。先述の「東京を木造都市に」の思いを込めながら、ここでもふんだんに木を使いました。だいたい僕の子ども時代は、駅舎といえばレールと木造を組み合わせたものが普通だった。それがいつの間にか、コンクリートのハコに取って代わられ、駅が閉じてしまい、「街」と「駅」の機能が分断されるようになってしまったのです。

その際たる眺めの一つに新橋がありますね。汐留側に巨大なタワー建築が群れのよう

に林立する一方で、駅と線路を隔てたところには、低層の飲み屋街が土から生えたように広がっている。新宿の西口なんかもそうですね。

僕は、新橋や新宿のような、大きなビル群と路地のギャップを否定しません。それどころか、東京ならではの面白いところだと思っています。観察してみると、ビル群の住人と飲み屋街の住人は、見かけは分断していますが、実は夜になると溶け合っている。昼は離れて、夜はいっしょくたという、その割り切りが東京的で、鉄道を隔てて両方が存在している。多様性という以前の、東京の原風景です。

高輪ゲートウェイ駅は21世紀の駅として、エコロジーとサステナビリティを体現したものでなくてはなりません。ここでは、駅によって分断されてしまった東京の街を、駅によってもう一度つなげ直す、というテーマを自分で設定しました。

そこには、あるヒントがありました。パリで僕が手がけている「サン＝ドニ・プレイエル駅」の再開発です。

サン＝ドニはパリ北郊に位置し、サッカーフランス代表とラグビーフランス代表のホームスタジアム「スタッド・ド・フランス」があることで有名ですが、貧しい移民の多い地域で、テロリストの街といわれるくらい「荒れた」エリアです。たびたび暴力沙汰が起きるので、スタジアムの建物は街に開かれていません。

パリ市は、そんな街の状況を払拭するべく「ステーション・アズ・グリーンパーク」というスローガンで再開発を進めました。いま、流行りのGX（グリーントランスフォーメーション）です。僕はパリでも、それを木で実現しようと考えました。

しかし、木を使うことは、クライアントであるフランス国鉄とパリ市と僕たちの間で「闘い」が起こることも意味しました。なぜなら木は、暴力、落書き、火に弱いというイメージが、どうしても払拭できないからです。そういうリスクを、お役所はどこも極端に嫌います。それに対して僕らは、落書き防止塗装、不燃木といった新しいテクノロジーで対抗しました。

この駅再開発プロジェクトでは、ヒップホップミュージシャンで、フランスではカリスマ的人気のストロマエさんがアート・ディレクター（AD）を務めています。この手のプロジェクトでアーティストをADにする場合、これまではハイアート、ファインアートに属する人が、ほぼお飾りで任命されることが普通です。しかし、サン＝ドニでは違いました。ストロマエさんは、父親がルワンダ人、母親がベルギー人で、エスニックの感覚を持つコスモポリタン。駅コンコースに設置される大型プロジェクター画面では、彼のディレクションでミュージックビデオなど先鋭的な映像も投影されます。これこそがコミュニティのためのビビッドな駅計画だよなと、彼らとのコラボは僕にとっても目からウロコが落ちるような経験でした。

第1章の座談会で、日比野克彦さんは、アートと地域づくりの連携を話されていましたが、駅にその先端があるのは、さすがフランスですよね。

消滅可能性都市からV字回復した豊島区

アートと同じく、これからの東京は持続可能性が大きなテーマです。僕にとって、そのメルクマールとなったプロジェクトが、デザインを監修した豊島区庁舎「としまエコミューゼタウン」でした。

２０１０年に豊島区は、池袋駅東口にあった区庁舎の移転新築に着手します。この区庁舎は老朽化していて、エアコンも効かず、東京23区の中で最も劣悪な環境といわれていました。利用者の区民にとっても、区役所で働く職員にとっても、評判が悪かったのです。

その課題を解決したのが、アイデアマンとして知られる高野之夫区長（当時）でした。高野区長は、東京メトロ「東池袋駅」に隣接する土地に区庁舎を新築移転するプロジェクトを進めて、同時に池袋駅東口の再開発に着手。さらに「危ない雰囲気」で有名だった「西口公園」を円形のオープンシアターに変えて、駅の東西通路も明るくするなど、さまざまな都市再生策を実行しました。

その起爆剤が豊島区庁舎だったのですが、当初コンサルが描いた絵は、完全なハコものだったのです。それに疑問を持った高野区長から、都市・池袋の絵をどう描いたらいいかと提案を求められ、そこから僕が参画しました。

15年に完成した新しい豊島区庁舎は、地上49階建てで、1階から10階までが区役所、11階以上が分譲マンションになっています。このように区役所とタワーマンションを合体させた事業スキームは前代未聞のもので、賛否の声が湧き起こりましたが、これが一つのきっかけとなって、豊島区の都市イメージは急上昇することになりました。

豊島区は14年に、民間研究機関「日本創成会議」の発表で、東京23区内で唯一、「消滅可能性都市」と名指しされました。これは40年までに、出産確率の高い20～39歳の女性の人口が5割以上減少する自治体をリストアップしたものです。豊島区は池袋という巨大ターミナルを擁していて、人口密度も日本一ですので、にわかには信じられない結果でした。

この推計に衝撃を受けた同区は、都市再生とともに充実した内容の子育て支援策をスピーディに実行し、それによって区庁舎周辺ではファミリー向けのマンションが次々と建つようになりました。現在、推計に使われた女性人口の減少率は下げ止まり、いまでは消滅可能性都市の指標から脱却しています。このV字回復が実行できたことは、池袋の持つ潜在力を高野区長が信じていたからだと思います。

さらにいうと、池袋の場合は区庁舎という「点」だけでなく、公園、劇場、図書館など文化を担う公共施設のリノベーションを同時に進めたことで、「街」としての広がりが出たことが大きい。東口の旧市役所跡地の再開発「Hareza池袋」内に新しく設けた「東京建物Brillia HALL（豊島区立芸術文化劇場）」には宝塚歌劇と歌舞伎も招致して、ソフトの幅も半端なく広げています。

このように、事業的にも話題的にも、正の循環を作り上げることができたのは、区長としての高野さんの功績でしょうが、高野区長自身が、池袋で生まれ育った人ということが、やはり大きいと思います。彼の実家は西口にあった古書店で、母校の立教大生のたまり場だったといいます。地元・池袋への愛着はなみなみならぬものがあり、商売人としてのカンどころも鋭い。そんな高野区長の判断が、都市再生のすみずみにまで生きているのです。

街は、そこに暮らし、そこを愛する人がいてこそ、生きた場所になる。「地元」を持つ強みを改めて感じますね。

時代の波に強い、ごちゃまぜの街

池袋は、僕の暮らす神楽坂からも距離感が近いんです。僕自身、昔から親近感を抱いていました。本当ですよ。西麻布より池袋の方がヘンな店が多くて、刺激がある。雑司が谷方面から首都高速の高架下に至る雑踏も僕には面白い。渋谷、新宿、池袋という東京の三大ターミナルの中で、池袋はいちばん垢抜けないイメージの街ですが、その中に宝石がいっぱいあるのです。

首都高速の隣にある「サンシャインシティ」は、昭和の超高層開発の先駆けですが、もとは巣鴨プリズンのあったところ。池袋西口は戦後、大きな闇市が広がっていましたし、その雰囲気がいまも残っている。北口の雑居ビル群は、巨大なチャイナタウンで、日本語があまり通じない店もある。お役所的には望ましくないかもしれませんが、そういうダークなところ、曖昧なところが入り混じってこそ、都市なのです。

サンシャインシティは1978年の完成後、港区あたりの華々しい再開発の後塵を拝し、何とも中途半端な商業ビルになっていましたが、いまはそれが一周回って、妙に池袋という街にあった超高層に進化している。ショッピングモールとホテルだけでなく、水族館、博物館、ホールもあって、外国人観光客がカジュアルに東京を楽しむ際の拠点にもなっています。裏には「乙女ロード」があり、アニメ、漫画を中心にしたサブカル拠点でもある。僕の好きな路地性と超高層が、普段着のままで混じっているところがいい。

都市・東京へのインパクトとして、「六本木ヒルズ」も「東京ミッドタウン」も、もちろん評価に値するものだと思います。でも、それらは完結型の再開発。ピカピカの超高層ビルを作って、1階にブランドショップを並べて、都市の虚構を高く売る。そういう表面的なきれいさは、結局、池袋のようなナマな場所にはかなわないと思います。

六本木が池袋に匹敵するディープさを持つには、あと100年たたないとダメなんじゃないでしょうか。100年後、ピカピカな街が廃墟化して、いい具合にダークになっている姿を想像すると、ちょっと面白い。これからは都心部の再開発も、街に対して閉じた完結型ではなく、池袋のような開放型、ごちゃまぜ型で作られていく時代になってほしいものです。

さらに池袋では都電荒川線がまだ健在で、それが街の大事な要素になっています。明治時代に敷設された電気軌道ですが、このチンチン電車があるおかげで、池袋のダウンタウンとオフィスビルが周辺の住宅街にすうっとつながることができている。池袋周辺の住宅街は、昭和の普通の木造が残っていて、レトロですよね。都電に乗るだけで、いまだに前近代の東京の空気を感じることができます。沿線には雑司ケ谷霊園があるし、あのチンチン電車は、北から来る「闇」を乗せて走っているんですよ。その闇の気配があることが都会には重要なんです。

僕は、タモリさんと荒木町（新宿区）あたりで時々、飲むんです。タモリさんの最大の趣味は、東京中を歩くことだそうで、東京の地形を本当によくご存じなんですね。タモリさんは長年、昼帯の「笑っていいとも！」の司会を務めておられましたが、午後1時に放送が終わると、サングラスをかけて、ダサい服を着て、「ビックカメラ」の袋を持って、街に出ていたそうです。「そうすると、誰も気づかないんだよね」とのことで、

建築当時の「サンシャインシティ」とその周辺（写真提供：共同通信社）

「ブラタモリ」をそのまま日常で実践していたんですね。

しかも彼は東京に向ける視線がヘンタイ的で、同時に専門的、技術者的でしょう。それが技術者である僕と同じ感じがして、より親近感が湧きます。荒木町の雰囲気は、二人とも大好きなものですね。東京の特徴であるすり鉢状の谷底地形と、その裏道に人がたまる感じが魅惑的なんですよね。

タモリさんは「ヨルタモリ」で湯島をネタにしていましたが、湯島、神楽坂、池袋、荒木町は、何となく裏道感、裏路地への愛好心でつながりますね。一人で歩くのに、もってこいの場所。東京は山手線をはじめ、公共交通機関が発達しているから、どんなに迷っても、30分歩けば絶対にどこかの駅にたどりつける。その安心感も東京ならではですね。

一周回って、郊外再発見

僕の仕事とからめて、東京をスポット的にお話ししてきましたが、最近は23区内だけでなく、仕事がらみで三鷹や調布のような郊外を再発見しています。

調布は「角川大映スタジオ」「日活調布撮影所」といった映画の製作スタジオがあります。昔は映画フィルムの現像に大量の水が必要でしたので、川のそばにスタジオが建てられたのです。その意味で、映画もライトインダストリーの一部で、川のような自然に依存していました。

三鷹の「国立天文台」に行くと、古い木造の天体観測用のドームが残っていて、ここでも時代をスリップすることができます。中央線の周りは昭和時代に急に都市化のマジックが進み、そこから時代のギャップが生まれて、いまでもまだまだそういうギャップが残っているところです。

昔の郊外は、大きな駅前広場、ショッピングセンター、マンションの3点セットで、人々が「ここに住みたい」と夢を見たけれど、みんな、その夢からはもう覚めています。最近はタワーマンションで何とかもう一度、幻想復活を目指す人もいるけれど、それもすでにピークを越えて限界が見えている。縮小する経済状況の中で、日本全体に挫折感があり、東京にもそんなに希望を持てない。都市に対する挫折感は複雑で、昔の路地をきれいに再生すれば解決しますよ、というものではない。かつての郊外幻想から覚め、途方に暮れた人たちが、いま、救いとわずかな可能性を求めて僕のところにやってきている気がしています。

郊外での建築プロジェクトでは、時代のギャップを埋めて消すのではなく、むしろそのギャップを楽しんで建築を作ることの方が面白い。僕は、そういう建築を作る人だと期待されているのではないでしょうか。

事実、中央線沿線の場所はやりようがいろいろあります。まず、住んでいる人が面白く、彼ら・彼女らが、ひと昔前の建物を使って、個性的な店を作っています。池袋のサンシャインシティと同じで、郊外では昔の開発がいい感じでボロくなっていて、リノベーションがいちばんしやすい時期に入っている。街の建物がボロくなるのは衰退ではなく、逆に可能性が生じることなんです。

アタマで考えた街は、現実に負ける

日本では、渋沢栄一や小林一三(いちぞう)による田園都市構想に象徴されるように、東急電鉄、阪急電鉄、西武鉄道といった鉄道会社が、街を作ってきた歴史があります。彼らの貢献度は大きいのですが、僕の解釈では、鉄道は自然に対する一種の暴力で、その暴力を道路や公園計画という妥協の技を使って、どうやって緩和していくかが、近代の都市計画だったと思っています。

　渋沢は東急東横線の田園調布で、放射状の道路配置による美しい街並みを作り出しました。あの配置は、ロンドン郊外のレッチワースを真似したもので、郊外における都市計画の憧れのひな型ですね。

　たとえば同じ東横線上の日吉、菊名でも、駅前の放射状の道路配置は踏襲されています。しかし、子どものころから不思議に思っていたのは、地図で見ると同じ放射状に道路が延びているはずなのに、実際にそれぞれの駅に降り立つと、見え方がまるで違うし、街の雰囲気がまったく違うことでした。田園調布では、放射状のパースペクティブが、並木とともに、遠方までのびやかに見渡せる。日吉になると、それが崩れて、放射状の面白さがあまり感じられず、逆に不便さが出ている。菊名に至ると、道がぐしゃぐしゃとなって、放射状になっているのかすら分からなくなる。土地の起伏など地形が違うからなのでしょうが、それぞれに不思議な「街の回答」を形作っているところに、ナマの土地の面白さを感じます。都市計画はナマモノの調理なので、しばしば材料に裏切られてしまうんですね（笑）。

言い方を変えると、人間のアタマは、現実の地形に負ける、ということです。

僕は子どものころから、東横線沿線を歩き回りながら、アタマで考えたものが挫折していく過程を見続けてきました。長年、建築家をやっていて痛感しますが、土地や地形というものは、身体とつながりながら理解していくものです。身体が土地を体験して、はじめてそこに建てるべきものが自分の中で見えてくる。アタマと地形のギャップを、建築でどうつないでいくか、それを考えるのが面白くて仕方ない。建築家はカッコいい理想主義者ではなく、しぶとい妥協の天才でなければいけないんです。だから、現場歩きと旅が好きで、やめられないですね。

東京の曖昧さ、半端さを愛します

いろいろお話ししてきましたが、東京の魅力は案外、外に伝わっていないのではないかと思います。

いかにも都市的な超高層ビルの眺めは、いまや世界のどこにでもあって、東京の超高層ビルは二流感が強い。では超高層ビルの眺めに対抗するものは何かとなると、いきなり「浅草寺」、仲見世のような観光名所になってしまう。名所と超高層では東京は語れないというのが僕の持論で、どうせ浅草に行くなら、浅草寺ではなくて、墨田川の川っぺりとか、もっと奥深い路地に行ってみればどうかな、と思います。

「M2」を作った時から、今にいたるまで、僕の東京に対する好みは案外変わっていません。要するにヘンな路地が好きなんです。「M2」も、建物の真ん中に路地的な通路を作っていました。薄暗さとか、闇とか、そういう感じに惹かれます。「M2」はいまでは葬祭場になっていて、闇の感じがめちゃくちゃカッコいい。

江戸時代にさかのぼらずとも、東京の街は路地が縦横に通って、それによって街全体が呼吸していた。人間の感覚というのは存外に変わらないもので、古代からずっと日本人は路地を愛好し続けている。

人口減少が著しい日本は今後、インバウンドと移民政策で元気になるしかない。よそから来た人に、東京への偏愛を持ってもらうには、どうしたらいいか。名所と超高層でない中間の目立たないところを、まず行政が壊さず、住民と関係者が大事に守っていくことが大事です。どっちつかずの曖昧さ、やさしい半端さが、東京を支えていることを理解してほしいと思います。

隈 研吾 略歴

建築家。1954年生まれ。神奈川県横浜市出身。90年、隈研吾建築都市設計事務所設立。慶應義塾大学教授、東京大学教授を経て、現在、東京大学特別教授・名誉教授。30を超える国々でプロジェクトが進行中。自然と技術と人間の新しい関係を切り開く建築を提案。主な著書に『点・線・面』（岩波書店）、『全仕事』（大和書房）、『負ける建築』（岩波書店）、『自然な建築』『小さな建築』（いずれも岩波新書）、他多数。

第3章

東京なら、無名性の中で自由に生きていける

大友克洋の「偏愛東京」

テレビが映さない東京

僕が生まれたのは宮城県登米市。かつては郡でしたが、僕が東京生活を始めてから近郊の町や村を統合して市に昇格しました。県北部内陸に向かって広がる仙台平野のど真ん中にある米作地帯です。東京のような丘陵の起伏はなく、田んぼが延々と続いています。

最初に東京へ行ったのは中学の修学旅行です。上野の動物園とか、東京タワーとかに行ったんでしょうが、よく覚えていません。面白くもないルーティンな観光だったのでしょう。

高校2年の夏、家出の真似事のようにして東京へ行ったのが2回目です。渋谷で働いていた友達の家に転がり込んで、文通で知り合った漫画同人誌の人と、その人の友人の漫画家さんたちに会っては、作品を見せてもらっていました。

その中に一人、フーテンとかヒッピーをやっている人がいました。ジュース缶のブリキで缶バッジを作っていて、自分で絵を描き色を塗って、部屋の床にいっぱい広げて乾かしていて、その缶バッジを道端で売って日本中回ると言っていましたね。油絵とかも描いていて、あまりにも本格的に上手くてびっくりしたのを覚えています。

滞在中にある漫画家の家で雑誌の編集者を紹介され、作品を見せたら、「高校卒業したら連絡してくれ」と言われ、受験勉強を放棄しました。「缶バッジを作る人生を俺も行くぞ」と思ったものです。

時代は1970年代。渋谷、新宿、池袋というターミナルには、まだ戦後の雰囲気が色濃く残っていました。新宿の南口にはバラックに毛が生えたような飲み屋が立ち並んでいてね。コの字型のカウンターの中に、割烹着を着たおばさんがいる。後で聞いたらあれ、戦争未亡人がやっている店だったんです。

街角には傷痍軍人も立っていました。いまの人たちに傷痍軍人なんていっても分からないと思うけど、足や手に包帯を巻いて、松葉づえをついて、駅前や神社の階段下にたたずんでいて、施しを受けてアコーディオンやハーモニカで軍歌を演奏していました。後で聞くと、フェイクも多かったとのことでした。

テレビが伝える東京のイメージは、近代的なビル群の眺めでしたが、僕にとってはそれらはどうでもよくて、テレビに映らないもの、テレビが映さないもの、実際に行かなきゃ分からないもの。それらがあるところが東京で、田舎者から見ると、東京の闇のようなものすべてが魅力的でしたね。

本格的に上京したのは高校卒業後です。親経由で親戚のおばさんにアパートを探してもらって、最初は日暮里の四畳半に住みました。そのアパートはテキ屋の人たちが多く住んでいるところで、お祭りがあるとみんな出払って静かになる。でも、お祭りがない時は朝から晩まで麻雀をやっていて、うるさい。酒のつまみに、くさやを焼くんだけど、最初はあの臭いがもう、たまりませんでした。くさやは後でおいしさを知り、食べられるようになりましたけど。

都会のあやしさにつかまって

そのうち東京に来て大学生をやっている友達が頻繁に遊びに来るようになって、もう少し広いところに住みたいと思って、埼玉にいた親戚のおじさんの伝手で、南浦和のアパートに引っ越しました。ちょっと広くなったので、ステレオを買って、レコードが聴けるようになりましたが、近所の人に「うるさい!」とよく怒鳴られていました。

僕は当時の少年漫画で育った世代で、中学から自分でも漫画を描くようになって、少年時代は漫画漬け、高校からは映画漬けでした。上京前から手塚治虫先生の『ＣＯＭ』に漫画を投稿するようになって、上京後は『漫画アクション』（双葉社）を中心に仕事をしていました。

そのころに描いた『ショート・ピース』や『ハイウェイスター』は、アメリカン・ニューシネマに触発されていますが、70年代に東京で呼吸したサブカルチャーからの影響も大きいです。当時は都会の裏側から、サブカルチャー、アングラの動きがいっぱい出てきていて、新宿の裏通りは、住宅街にはない街の翳りがありましたね。写真家の森山大道さんや、ＡＴＧ（日本アート・シアター・ギルド）の映画は、濃い陰影と、強いコントラストで、そういう世界観を表現していた。それまでの漫画、映画では街は背景だったけれど、街に意味を付けるというか。写真家、映画監督に触発され刺激も受けて、相互作用で街を表現していました。

友達が立教大学に通っていて、「清龍」という名物居酒屋で働いていたんです。新宿、渋谷、池袋の三大ターミナルの中でも、池袋はいちばん、戦後の匂いが残っていましたよ。特に「西口公園」のあたりは、得体の知れないヤバい雰囲気がありましたよね。それでいて、洋書屋とか画材屋とかがあって、文化の匂いもするんですよね。

先日、久々に池袋に行ったら、駅にホームレスがいて、「さすがだな」と思いました。僕が『ハイウェイスター』を描いた時代とあまり変わっていない。西口公園は見違えるほどきれいになっていましたが、北口のあやしさはそのまま。池袋には昭和がまだある、これこそが東京だな、と感動しました。

映画、レコード、飲み屋、バラック

僕にとって街に、映画館、本屋、レコード屋、飲み屋があることは必須で、それで70年代後半から吉祥寺に住みはじめました。以来、40年以上、吉祥寺暮らしです。

中央線沿線はサブカルの聖地といわれていて、中でもサブカル感が高かったのが高円寺ですが、僕は高円寺にはあまり興味が向かなかった。高円寺には古着屋、ライブハウスがあるんだけど、映画館、ジャズ喫茶がなかったんですよ。

中野、高円寺はアングラ感が強かったのですが、阿佐ケ谷から西に行くと、文化の香りが強くなる。吉祥寺には作家や小説家が立ち寄る喫茶店も飲み屋もいっぱいあったし、

1980年の吉祥寺のレコード店（写真提供：共同通信社）

映画館もあった。

あと、中央線沿線は焼き鳥屋が多いんですよね。で、おいしいと思ったことがないけど、僕が吉祥寺に来たころはサンロード商店街のどんづまりに古い映画館がありましてね。午前中だけ名画を上映して、午後になるとピンク映画になる。ある時、ロシアの映画を見ていたら、後ろにいたオヤジが「なんだ、これ。普通の映画じゃないか」って、怒っていましたね。ピンク映画を見に来たはずなのに、タルコフスキーじゃ、たまりませんよね。

吉祥寺の駅前には戦後のバラックが残っていて、いまも「ハモニカ横丁」として、原型をとどめているのがいいですよね。70年代に、「峠」という飲み屋があって、よく行っていました。真っ暗ですすけていて、トドとかウミガメの肉とか、缶詰のゲテモノがつまみなの。そのころから、ジーンズ屋などアメ横的な店もできて、学生なんかにも人気になっていきましたけど、基本は飲み屋が並ぶ、昼間から薄暗い一画。野良猫がいっぱいいいて、8ミリフィルムで猫のドキュメンタリー映画を撮ろうかな、とも思っていました。

当時から吉祥寺は、JR中央線、京王井の頭線、地下鉄東西線が通っていて、東急百貨店、伊勢丹、近鉄百貨店といったデパートがあり、丸井も存在感があった。交通の便もいいし、買い物にも困らないし、非常に住みやすい街でした。

漫画家でいうと、僕たちの前世代の手塚さん、石ノ森章太郎さんらは、練馬の方が根城だったんですよ。それで、彼らのアシスタントをしていた次世代の人たちが、吉祥寺に南下してきた。江口寿史さんは仕事場が吉祥寺で、家が西荻窪。一条ゆかりさん、大島弓子さんといった少女漫画の人気作家も吉祥寺に住むようになった。「井の頭公園」の近くにある楳図(うめず)かずおさん邸も有名ですが、楳図さんは後から家を建てられた方ですね。

ヤクザな漫画業界の人たち

一世代前の大御所たちがなぜ練馬に住んだかというと、練馬の大泉に東映アニメーションのスタジオがあり、手塚治虫先生の虫プロも富士見台にあったので、手伝いに行くのには良いロケーションだったのではないかと思われます。吉祥寺の西隣の三鷹にも名画座があったので、埼玉から引っ越す時に、三鷹も考えたんですが、吉祥寺にしました。

IT時代のいまは、原稿のやり取りをするために漫画家が編集部にわざわざ行く、ということもなくなりました。郊外でも、地方でも、もうどこでも住めます。でも、あのころは、漫画家は編集部に行って打ち合わせをするものだ、という事情、文化がありました。

また当時の青年漫画の編集部は、一般誌の編集とは違った雰囲気がありましたね。多分、学生運動で一般社会に屈折を感じ、ドロップアウトして漫画の編集をしている、というような人たちがいっぱいいたように思います。僕が知っている『漫画アクション』や『ヤングコミック』はそんな感じでしたが、他のヤング誌も同じような風が吹いていたと思います。編集者たちは劇画というものに、自分たちができなかった何かを託していて、作家の方も好き勝手にやっていたと思います。

いまは漫画本を1冊出すにも、編集会議でマーケティングや販売戦略を話し合って、という段取りですが、昔はそんなことは誰も言っていませんでした。しかしヒット作は出したいので、いろいろと言われましたね。「高校野球の甲子園ものはどう?」とか、「カンフーが流行っているね」とか。それは後に『アメリンゴ』になり、『さよならにっぽん』になりました。

編集部へ行く時は、受付に名前を言ってエレベーターで上がっていきました。午後の早い時間は人もまばらで、打ち合わせといっても夕方からで、「じゃあ、新宿へ行こうか」ということになります。

編集部でネクタイを締めていたのは編集長くらいで、たいていTシャツにブレザーとか、ポロシャツでした。まぁ漫画家から原稿を取るためには徹夜も厭わず、ですからね。ネクタイなんかしていられないですよね。一人、アイビーの人がネクタイをしていたかも……。でもノーネクタイはいまでもそうですから。

そういう人たちが、劇画の時代を作っていた。それが東京っぽさだった。

『漫画アクション』など劇画系の漫画家は、東京の街をリアルに描きました。それまでは街の風景って『おそ松くん』『ドラえもん』の空き地と土管でしょう。劇画の読者は子どもではなくて大学生以上だから、ストーリーはリアルなもので、登場人物は酒飲んでやさぐれているようなやつら。そうなると、街の背景は、飲み屋や新宿の裏道になりますよね。僕たちも日ごろ、そういうところで飲んだくれて、いろいろなことを見聞きしているから、ストーリーに織り込んでいく。

1978年に講談社が、『Apache（アパッチ）』という漫画とグラビアが混じり合った雑誌を作ったんです。それが失敗して、あぶれた人たちが80年代に『ヤングマガジン』を作って、そこで僕は『AKIRA』の連載を始めたんですけど、その編集部もちょっと変わっていました。

最初は倉庫みたいなところが編集部で、メンバーはもとがグラビア系雑誌の人たちなので、純粋な漫画系と雰囲気が違う。そこから『ビー・バップ・ハイスクール（BE-BOP-HIGHSCHOOL）』のような100万部超えのヒット作が生まれて、編集部の人たちはみんなアルマーニのスーツを着ていました。会社にアルマーニがスーツを売りに来ていたんだそうです。バブルの前夜で世の中の景気がよくて、新宿で飲んだ後、タクシーを拾おうにもとまらなかった。終電直後は絶対にタクシーを拾えないから、仕方ないな、って午前3時ごろまで飲む。雑誌は売れるし、アルマーニは着ているし、派手に飲むし、振り返ると、よくあんな時代があったな、って思いますね。

ただ、そのころの編集者はだいたい早く亡くなってしまいました。手塚さん、石ノ森さんも、ものすごく仕事していて、結局、早く亡くなりました。作家は徹夜、徹夜で漫画を描いて、編集者はそれにつきあって、夜中に印刷所で入稿した後に、また酒を飲んで、という毎日だから、体を壊すんですね。ちょっとハードでした。というか、だいぶハードでしたね。

近代団地のSFっぽさ

『童夢』は映画「エクソシスト」（73年公開）以降、ホラーものの流行が世間にあって、漫画でもホラーものをやろうか、ということで描いたものです。エクソシストが話題になった70年代は、東京の象徴として大規模団地が登場してきたころで、「高島平団地」が新しさとともに人気を集めていました。同時に、高島平は自殺の名所としても注目されていたんです。

それ以前の自殺の名所といったら、松本清張の小説に出てくる東尋坊（福井県）とか、三宅島とかの断崖絶壁ですよ。それが団地になっているんだ、と思って高島平に行ってみたら、むしろ、のどかな感じで、「え、ここで？」と拍子抜けしました。まだ高層の建物は建っていないタイミングで、4階ぐらいの住棟が並んでいるだけだったんですね。

それで、当時住んでいた南浦和の隣の蕨市で建設中だった団地に行ってみたら、15階建ての住棟が縦横に並んでいて、真ん中に入ると団地しか見えなくなる。その閉鎖空間がカッコよくて、「使えるな」と。

60年代の「多摩ニュータウン」以来、近代団地によってＳＦっぽい街ができて、埼玉でもある種の東京っぽさが出現していた。

田舎の田んぼの風景にはない無機的、不愛想な感じが団地にはあって、それでいて、夕方になると子どもたちに帰宅をうながすメロディが流れて、街に夕飯の匂いが漂ってくる。そこに思いがけず郷愁も感じたりして。

いまはそれがタワーマンションに成り代わっているんですよね。タワマンはそもそも足を踏み入れたこともないし、作品の舞台にしようと思わない。いま、どこに住んでもいいよ、と言われても、都心に行く気はないし、タワマンにも住みたくない。10階以上は住みたくないんですよね。超高層タワーの上層階って、窓を閉めないと危ないですよね。特に子どもはね。でも、風の音、雨の音を聞かないで育つなんて、どうなの？という疑問がある。まあ、その感覚は自然だけはふんだんにある田舎で育ったからかもしれませんね。

２０２２年に東京工業大学に新しくできた学生交流館「ＴＡＫＩ ＰＬＡＺＡ」に「Elements of Future（エレメンツ・オブ・フューチャー）」と題したレリーフを収めま

建設当初の「高島平団地」（写真提供：共同通信社）

した。僕が原画を描いて、それを熱海在住の陶板作家の谷本二郎さんが、陶板レリーフに仕上げてくれたものです。世界を構成する五大元素——地、水、火、風、空に、新時代の元素として、学生、都市、化学、ITのイメージを加えました。

東京の表層には建物が並んでいますが、東京だって古代からの地勢の中にある。いちばん下に「地」があり、「水」があり、そこに神さまがいる。神さまは龍であったり、火の鳥であったりと、時によって形を変えるけれど、それは古代から続く生命エネルギーですよね。

僕が40年以上にわたって住み続けている吉祥寺は、東京のはずれの方ですが、水の流れとしては神田川の源流で、奥多摩の伏流水につながっています。井の頭公園、「善福寺公園」は、その伏流水を取って大きな池を作っていますが、江戸時代の人々は、それを生活の中の水にしていた。江戸城が現在の千代田区に築かれたのは、あの土地が神田川の出口だからです。吉祥寺から川をたどると、なんと江戸城に着くんですね。いまはそれが感じづらいけど、東京はそういう原型を持った都市です。

それら地、水、火、風、空の上に、文明、都市、人間、科学的な生産物が積層化されて、いまの眺めがあるし、未来を作っていくんだろうな、と思います。

『AKIRA』における未来の予言

『AKIRA』の連載を『週刊ヤングマガジン』で始めたのは1982年でした。近未来の日本、2020年の「ネオ東京」を舞台に、超能力を持つ少年をめぐって、ネオ東京に巣食う不良少年、軍、権力者、反権力者、新興宗教の教祖など、危ない人たちをたくさん登場させました。

『AKIRA』で描いたネオ東京は、丹下健三の「東京計画1960」を見て、インスパイアされたものです。僕は建築も好きで、そっち方面の写真集や資料もよく見ていたんですね。建築学科の学生だった友人が、「パースの課題が出たから、描いてくれよ」と言ってきて、バイトのつもりで描いてあげたら、それが優秀作として学内に張り出されて、「これからどうしよう」と、そいつがあわてることもありました。

作品には、「ミヤコさま」という新興宗教の教祖が登場しますが、その教団の神殿も、丹下さんが設計した「代々木競技場」に倣っています。

丹下建築から、いろいろなインスピレーションを得ていましたが、実は『AKIRA』

完成後の「代々木競技場」と「代々木第二体育館」（写真提供：共同通信社）

の大本は、『鉄人28号』なんです。「ビルのまちにガオー♪」という主題歌が有名ですが、ビルが林立する都市で悪がはびこり、巨大な鉄人をあやつる少年が、街を正していく。そういう東京が喚起するイメージを、『ＡＫＩＲＡ』を描くことで、もう一つ新しいものに変えていこうと思っていたんです。

昭和の東京にオマージュを

宮城から東京に来た時に、これが東京だなと最初に思った景色は、ビル群ではなくて、高速道路でした。そうか、東京ではアタマの上に自動車が走っているのか、って。あの光景は、田舎ではありえない。その後、新宿の西口に超高層ビルが次々と建って、写真を撮りに行ったりもしていましたが、自分の中では特に東京＝ビル群＝すごい、という感覚はない。

それよりも、月島あたりの光景に目を奪われました。無機質なコンクリートの建物が立ち並ぶ手前に、江戸時代の庶民の風情を残す街並みがある。そういう光景を街として描きたかったですね。つまり、ニューヨークのようなビル群が遠景にあって、その手前で普通の人たちが住んでいる街の息吹。月島の遠景と近景のコントラストは、タワーマンションブームで、さらに際立ったと思います。

丹下さんの代々木競技場以外に目をひかれる名所もなく、東京見物をするわけでもなく、お話ししたように日暮里のアパートに暮らしていたわけですが、東京に出てきたら、70年代安保、過激派の内ゲバ、連合赤軍事件、三島由紀夫の自決という事件が次々に起こりました。世の中、いまもひどいですけど、当時もひどいものですね。10代の僕がテレビ画面を通して見ていたのは、60年代安保をめぐる激しいデモであったり、東京オリンピックであったり、公害問題であったり。そのようなことは、田舎にいると肌感覚では分からないですが、実際に東京に出てくると、ああ、この空気かって、見えてくる。丸の内では過激派による爆弾テロがありました。その後、統一教会、エホバの証人、オウム真理教などの問題も出てきましたね。そういうカルトなモチーフも、田舎にはなかったものなので、強烈な印象でした。

『AKIRA』では近未来の東京を描きながら、東京と戦後の事件をストーリーに入れて、オマージュを捧げたという感じがしています。ネオ東京を描きながら、昭和の自分の記憶を描いたのです。

僕の都市像はアメリカン・ニューシネマから

『ＡＫＩＲＡ』を描く前、『さよならにっぽん』という単行本を１９８１年に出しています。24、25歳ぐらいの時ですが、その時はニューヨークを舞台にしました。「ニューヨークに取材、行ったんですか？」と聞かれますが、行ってるわけないじゃないですか。ニューヨークって、こんな雰囲気なんだろうなぁ、と映画や写真集を見て、想像を膨らませたんです。その時、想像力を使ったことで、僕の中で「都市」に対するイメージがずいぶん固まったのではないかと思います。

ニューヨークの街の写真が欲しいな、と思っても、当時は観光案内みたいな写真集しかありませんでした。写真家の吉田ルイ子さんが70年代にハーレムを題材にした写真集、エッセイをいくつか出していた。そこには、観光案内にはない裏側のニューヨークが写っていましたね。

都会の裏側に惹かれるのは、高校時代に本格的に映画にハマった影響でしょう。「俺たちに明日はない」のボニー＆クライドです。ウォーレン・ベイティとフェイ・ダナウェイの男女二人組が銀行強盗と殺人を繰り返して、最後に命を散らす。アーサー・ペン監督による、アメリカン・ニューシネマの先駆けですが、カウンターカルチャーとしての世界観と、演じる役者たちがいいんですよ。銀行強盗だから、悪いやつらには決まっているんですが、それがすごく面白い。途中で強盗仲間に加わるガソリンスタンドの店員役の役者（マイケル・J・ポラード）も、いい味を出していましたし、あと、役者を使った従来の映画手法だけでなく、ドキュメンタリー的な手法も使っている。一行が仲間のお母さんに会いに行くシーンで、そのお母さんは、どう見ても役者じゃなくて素人を使っているのですが、そういった斬新なリアリティの表現には驚きました。

ある時期のアメリカに生きた人たちが、非常に刹那的に生を終えたという映画なのに、やけに青春ものになっているのも不思議で、あの映画からは作劇に関する、いろいろなものを教えてもらいました。

「俺たちに明日はない」は、アクションシーンもカッコよかったのですが、同じくアクションシーンでいうと、「フレンチ・コネクション」も好きでね。地下鉄の高架線下でカーチェイスするでしょう。「そうか、ニューヨークでは地下鉄が頭上を通っていて、ニューヨークに住んでいると、こういう光景が普通に見られるのか」なんて感嘆しました。ニューヨークのメインストリートの裏側で、麻薬を売ったり買ったりしている黒人たちのあの雰囲気。映画も漫画も、表側ではなく裏側を描いたものがよくて、あれがリアルなニューヨークなんだろうなって。好きですね。

僕の中でアメリカン・ニューシネマのブームがあって、その後に気が付いたのは、「ニューがあるなら、オールドシネマって何だ?」と。そこから昔の映画をどんどん観るようになったら、また面白いんですよ。フランク・キャプラ監督の「素晴らしき哉、人生!」とか、ジョン・フォード監督の「荒野の決闘」とかね。

そのころは『シティロード』『ぴあ』といった雑誌に名画座の上映情報が載っていて、あれを見るのが楽しかったですね。普通に3本立てで、後はオールナイト特集。オールナイトの最後の方はさすがに眠くて、その前に観た映画と内容が混ざってくる。

池袋の「文芸坐」でしょ、高田馬場の「高田馬場パール座」「早稲田松竹」、飯田橋の「ギンレイホール」、大塚の「大塚名画座」、大森の「キネカ大森」、銀座の「銀座並木座」……銀座並木座は黒澤明の映画をよく上映していて、あそこではじめて黒澤の世界に触れました。

映画を観た後は焼き鳥屋が定番でしたね。有楽町のガード下あたりに飲み屋が連なっ

銀座２丁目にあった「銀座並木座」
（写真提供：共同通信社）

ていて、ビール箱を椅子にして、焼き鳥の煙がもくもく立つ中で飲み食いする。あのころはサラリーマンが5時くらいから飲んでいて、歌ったり喧嘩したり、大騒ぎですよ。新宿では「花園神社」で唐十郎さんの劇団「状況劇場（通称：紅テント）」が興行を打っていて、若い人たちが集まっていた。あの人の多さは、田舎だとお祭りの時くらいしかない。だから東京は毎日、お祭りをやってる感じです。その、わんわんとした雰囲気、多面性が東京っぽかったです。

地下都市伝説から『SOS大東京探検隊』

僕の漫画のコマ割りは、そうやって観た映画の影響が強くあると思います。ストーリーを考えた時に、映画のようにシーンが連続してアタマに浮かんでくるんです。あの映画では、このショットがあって、ここでシーンが変わって、寄ったり、引いたりしていたな、なんてことを思いながら、場面ごとにテンポを速めたり、静かにしたりしながら、ストーリーをリズミカルに見せていく。

その中で、登場人物の後ろにある街の光景が大事になってくるんです。

たとえば有楽町、日比谷界隈は、僕が『AKIRA』を描いていたころからは、ずいぶん景色は変わってしまいましたね。当時、超高層ビルは「霞が関ビル」か、池袋の「サンシャインシティ」、あと西新宿か、というぐらいでしたが、いまは皇居のすぐそばでも超高層ビルだらけになっています。銀座の「ソニービル」だって、なくなっていますし。

といっても僕自身、昔の東京をよく覚えているわけでもないし、景色の変遷も見てはいない。だいたい自分で描いた作品自体、読み返すことがないですから。まあ、銀座にソニービルがあった時は、4丁目交差点に日産自動車のショールームがあって、夏には水族館ができていたなって、そのくらいの話ですからね。

事前にロケハンをほとんどしない自分ですが、『SOS大東京探検隊』(1996年)の時は、銀座あたりをちょっと歩きました。

銀座の泰明小学校(をモデルにした小学校)に通っている子どもたちが、マンホールから地下通路に入り込み、その先の皇居の庭にひょいと出てしまう、といった筋ですが、元ネタは少年漫画雑誌のグラビアなんかに出ていた都市伝説。東京の地下には戦争中に作られた幻の抜け道や駅がある。いざという時は、やんごとない人や権力者が、それを使って逃げることになっていた、なんて話です。

ちなみにヨーロッパやアメリカには、少年漫画雑誌がない。日本の漫画雑誌はすごいですよ。子どもたちにいろいろなことを教えてくれる不思議な媒体。スピリチュアル系の雑誌『ムー』なんかは、その少年漫画雑誌のグラビアだけを特化したようなもので、秘密の円盤基地とか、魅惑的な話題が満載でした。

銀座で取材した時は、ビルとビルの隙間にある路地を、ひたすらのぞいて歩きました。華やかな表通りではなくて、飲食店の従業員が裏でたばこを吸っているような、あの狭い裏道に行きたいんですよ。でも、大通りに囲まれているから、なかなかそこには行けない。都市の真ん中に、自分たちが行けない場所がひそかにある。あの作品では、そういうところを描きたかった。いまも、どこかにある、と思っていますね。

都市にはあらかじめ破壊が内在する

『ＡＫＩＲＡ』の裏話をちょっとすると、あれは『童夢』で、チョウさん、エッちゃんの戦いをもう少し長く書いてもよかったな、という後悔があった先に生まれた話です。『童夢』は最初に単行本１冊にするという目標があったので、自分の中にあったいろいろなストーリーを、はぶいてしまったんです。そういうストレスがあったもんだから、次に『ＡＫＩＲＡ』の時はストーリーを広げすぎてしまった。そしてアニメーション映画を作った時は、２時間で終わらせなきゃいけないので、またストーリーをガラッと書き換えてと、大変でした。

『ＡＫＩＲＡ』で僕は予言をしたつもりはありませんが、ただ、いま見ると、現在の東京を予見するような眺めが確かに出ていますね。それはやっぱり、都市の先輩格としてニューヨークのマンハッタンの眺めが、執筆当時の僕の中にあったからだと思います。

僕はアールデコの建築が好きで、マンハッタンの超高層ビルの写真集をよく買っていました。代表格の「クライスラービル」は、１９３０年の完成ですが、着工は28年だから20年代ジャズエイジを象徴するアールデコですよね。31年完成の「エンパイア・ステート・ビル」もアールデコ様式が美しい。

なぜアールデコに惹かれるかというと、現実的な理由があって、ビルを描くのが大変だからです。超高層にしろ、普通の高層にしろ、ビルってだいたい、みんな似たようなものになってしまう。それを差別化しないといけないので、様式美のあるビルが描きやすいのです。

それと、僕は超高層ビルの中に、ある種の儚さを見ていて、そこに物語性を感じるのでしょう。9・11の時に、その儚さは現実のものになってしまいました。ニューヨークにしろ、東京にしろ、人間が作ったものって、儚い。昔の城の天守閣を見ても、これはいずれ崩れることを前提に建てたんだろうな、と思ってしまう。実際に、戦乱なり、時代の変化なりで、崩れるわけじゃないですか。

ビルも、都市も、大きな構造物は、最初から破壊が内在されていて、人間は本能でそれを壊したくなる。だから、ゴジラからアキラの超能力にいたるまで、みんな東京を壊しているんです。それで、一生懸命建てたけど、やっぱり壊れたな、って、どこかほっとする。

ランドスケープがあって、物語が始まる

僕にとっては、キャラクターとともに、ランドスケープが主人公みたいな意識はあります。それは、水木しげる先生の作品から、僕が学んだことです。たとえば『ゲゲゲの鬼太郎』は、主人公の鬼太郎という妖怪とともに、彼らが棲む背景があって、世界が成

り立っているんですよ。まず風景があって、その中に登場人物がいないと、ストーリーが息づかないという描き方です。描き込まれた熊笹の中に鬼太郎がいて、その背後には暗い森が覆い被さっている。そうでなければ、おどけたような妖怪に信憑性が出てきませんからね。

背景を描く時は、ちょっと引いた目線になります。『ＡＫＩＲＡ』などでは、都市の背景が重要でしたが、どのくらい引けばいいか、段階的に視点を引いていくと、いろいろなものが見えてきます。たとえば人物がいる場所を引いていくと家が見えて、もっと引くと家の屋根や街が見えてくる。つまり、世界がどんどん広がっていくんです。

いまの漫画家はキャラクターしか描かないので、その寄った中で、みんながぶん殴り合いをしているから、僕にはつまらない。引きの目線というのは、客観性のことで、客観性がないとストーリーの全体像も伝わらないと思うのですが、いまの若い人たちは漫画に限らず、寄りの視点で生きるようになっているのでしょうか。スマホも寄って見ますからね。

連載時には各話に表紙がありましたが、単行本化にあたり連続して読めるようにと表紙を外し、左右見開きを続けるために加筆をしたりしていたので、単行本を出すのに時間がかかりました。さらに通常の講談社コミックス（ＫＣ）ではなく連載時の大きさで出したいと言ったのですが、出版社には聞き入れてもらえず。そのうちに連載のコピーを売るやつが出てきて、一方では早く単行本を出してくれというファンの署名運動が起こって、Ａ4判での単行本になりました。海賊版のコピーも青焼きの時代で、まだ牧歌的でしたが、小さな判型にすると、ディテールが潰れちゃうんです。それがどうにも嫌でね。

ちょっと脱線して技術論になりますが、僕は漫画家の人たちがよく使うＧペンではなく、丸ペンの方を愛用しているんです。

丸ペンは最初は硬いのですが、描いているうちにどんどんペン先が柔らかくなって、僕の好きな描き心地になっていく。これは感覚ではなくて、実際にそうなんです。顕微鏡で見れば、最初は角ばっていたペン先が、だんだん丸くなっていくんですよ。

『ＡＫＩＲＡ』の単行本では、第4巻をまるまる1本の丸ペンで描きました。新品の硬いペン先で背景を描いて、次に柔らかく慣らしたペン先で人物を描く。人物のアップを描くのはいちばん柔らかいやつです。

アシスタントが「もう丸ペンのペン先が開いて、描けません」と言ってきても、僕は

「捨てるな」と言って、アシスタントが使った丸ペンのお古に番号を振って、使っていました。時々、絶妙に自分の感覚と合ったペンに出合えるのですが、ある時、それが転がって床の上でパチンと割れた時は悲しかったですね。丸ペンさんの往生です。もちろん金属疲労で壊れてしまったわけですが、そうやってぎりぎりのところまで使って描いていたんです。

自転車での都市探索にハマる

都市の景色は背後に人の歴史を反映しています。ロサンゼルスはカウボーイ、ニューヨークはお金持ちの街。それでいうと、東京は人の街――無数の普通の人の街ですかね。ニューヨークのマンハッタン、パリ、ロンドンなどに比べると面積が小さく、そのサイズの中に人が全国から集まって凝縮している。

東京は地形も凸凹していて、それぞれのエリアで表情がまったく違う。ただ、単に地図を見たり、歩いたりしているだけでは分からない面白さが、それぞれのエリアにあります。

僕の実家は仙台平野の真っただ中にありましたから、そういう起伏とは無縁。山も何もかも、全部見渡せちゃう。ただ、東京で富士山が見えるというのは、ポイントが高いですね。ちょっとした高台に行くと富士山が見える。ビルが立ち並んで、見えなくなってしまった場所も多いと聞きますが、いまでも富士見という地名がたくさんありますよね。

僕は自転車にハマってから、東京のさまざまな表情に気付きました。

きっかけはささいなことで、「ワールド・アパートメント・ホラー」という第1回実写の映画を撮っている時に、照明の人がマウンテンバイクに乗って現場までやってきたんです。で、「それ、カッコいいね」と言ったら、カスタムメイドで作っている自転車ということで、俺も買おうかな、となったんです。ただ、当時の値段で25万円もして、後からびっくりしたんですけど。中古で車買えちゃうじゃん、ってことで。

これがスポーツライドという前傾で乗るタイプで、リラックスして楽しむような自転車じゃない。それで頑張って乗るようになって、だんだん距離が伸びていったころに、たまたま夜中にテレビで見たツール・ド・フランスで、イタリア人のマルコ・パンターニっていう自転車乗りが、中盤の第15ステージの山の中で逆転するという、すごくカッコいい勝ち方をしたんです。それで、何これ、って僕自身が覚醒して。1998年ですね。その時にパンターニモデルの自転車が限定100台出て、それを買ってから本格的にハマりました。

一時期は週3回乗って、九十九里まで行きました。片道90キロぐらいで、それがいちばんの遠征かな。あとは三浦半島をぐるっと回って、鎌倉へ行ったり。三浦半島は横須賀から海沿いの道があって、これがすごく眺めのいい道で。葉山に入ると、沈む夕日が太平洋の向こうに見えて、海面が黄金色に光っている。すごくいいルートでした。

東京では元日の朝5時くらいにみんなで集まって、都内をぐるぐる回ることを、よくやっていました。メンバーはイラストレーターやアニメーションの監督たちで、彼らはモールトンというちょっと変わった自転車に乗っていました。

正月の早朝って、都内に車が走っていない。見事にからっぽ。どこに行こうとか、特に決めないで、僕は吉祥寺方面だから、青梅街道から都心に入って、晴海の方まで行って、勝鬨橋を渡って、銀座を走って、と最高でした。とにかく大きな道路を好きなだけ走れるのが気分よかったですね。

元旦以外なら、吉祥寺から多摩川まで出て、羽田の「穴守稲荷神社」の大鳥居まで行くこともしました。羽田に行くには、多摩川のガス橋をはじめ、橋をいくつか渡るので大変なんですが、そのルートが往復で80キロぐらいかな。吉祥寺から南下して登戸に出るのですが、調布の甲州街道の石原交差点近くで2、3回、散歩をされている水木しげる先生を見かけたことがありました。挨拶しようかな、と思いましたけど、ヘルメットにサイクルジャージ姿で「こんにちは」と言うのもないと思って、そのまま通り過ぎましたけど。

多摩川沿いの道は、帰りに調布から北の方に行くと、気候が変わって、寒くなります。立川は、いまは整地されていますが、そのころの多摩川には野うさぎや雉がいました。あと、多摩川には裸で泳いでいる人がいました。外は寒いんですよ。水だって冷たいですよ。最初見た時は溺れているのかと思いましたが、一種の名物の人だったみたいです。古い家が火事で燃えているのも発見しました。誰も通報していないのか、消防車も人もいなくて、シュールな光景でした。

吉祥寺からの北上する場合のルートは、福生（ふっさ）のあたりまでですね。立川経由で、ほぼJR沿いです。そうすると往復で50キロぐらい。自転車が壊れて大変だったこともありますし、川沿いの道では土手を転げ落ちたりもしました。こうやってお話しすると、別に大した思い出ではないな、と思いますが、結果として東京とその近辺のフィールドワークになっていますね。

環八から荒川の土手を延々と走って、「森林公園」まで行ったこともあります。途中にホンダ（本田技研工業）の飛行場があって、東京メトロ有楽町線から東武東上線に乗り入れた先ですね。森林公園まで行くと山の中に荒川の遊水池があります。途中までは舗装された道なのですが、だんだん山道になってくる。サバゲー（サバイバルゲーム）をやっている人にも遭遇して、びっくりしました。向こうもびっくりしたでしょうけれども。

自転車の視点って面白いですよ。片道50キロの範囲ですが、歩いて見る、自動車で見るのと、だいぶ違う。

田舎では30キロを走っても、景色は変わりませんが、東京だと劇的に変わるし、どこかに着いちゃう。東京には都会の光景もあれば、森林公園みたいに川沿いからいきなり山に入る景色もある。甲州街道だって、走っていたら高尾山に入りますからね。「グレーター東京（東京大都市圏）」でとらえても、実に多様性があります。東京と自転車は、相性がいいと思っています。

そんなこんなで、ハマってから15年くらいはいろいろなところに自転車で行っていました。奥多摩の山道を越えて、大垂水峠を通って小仏トンネルまで行った時なんかは、いま思えば、ずいぶん危ないことをしていましたね。小仏を抜けると、甲府まで下り坂で気持ちよくスピードが出る。最高で時速65キロぐらい出していたんじゃないですかね。自転車で時速60キロを超えると、視野が狭くなって、道がよくないと本当に危ない。小さな小石でも吹っ飛びますからね。ギリギリの走りですよ。

一回、キャノンボールラン（自転車の草レース）で一緒に走っていたアニメーターが事故って、警察のお世話になったことがありました。それを機に、毎年やっていたレースは中止となり、激しい走りは控えるようになりましたが、自転車にハマった15年で、体はずいぶん鍛えられたと思います。いまもそこそこ元気でいるのは、自転車のおかげではないでしょうか。

自由で、勝手、それが東京だ

今回、インタビュアーの柳瀬さんが、単行本1000万部超えの漫画家の出身地を表にしてくれました。

歴代1位の『ONE PIECE』の尾田栄一郎さんからはじまって、『ゴルゴ13』のさいとう・たかをさん、『ドラゴンボール』の鳥山明さんと、ヒットメーカーは断然、地方出身の人が多い。東京出身は『こち亀（こちら葛飾区亀有公園前派出所）』の秋本治さん、『キャプテン翼』の高橋陽一さん、『花より男子』の神尾葉子さんぐらいで、ほかは東北、北海道、九州出身の方がとても多い。それはどうしてなんでしょうね、という問いをいただきましたが、そういうもんじゃないでしょうか。地域差が作家の優劣にはつながらないと思います。

単行本『SOS大東京探検隊』に「SPEED」という短編を掲載していますが、その舞台は鉄道駅もなければ幹線道路があるわけでもない、畑と田んぼが混ざっている場所。そんなところに、地元の若者がたまるスナックがある。で、彼らはほかにやることがないから、バンドをやっている。行くとこがないから、ラブホに行ったりしている。田舎あるあるの光景ですよね。

田舎の閉塞感って、あるじゃないですか。仕事がそれほどあるわけでもなく、年に1回お祭りがあるくらい。有楽町へ行けば毎晩、お祭りみたいに人が集まっているのに。最近は田舎暮らしが人気だ、なんて話が出てきています。無農薬や有機農法をやっている友

歴代漫画発行部数ランキングと作者の出身地

順位	作品	発行部数	作者	出身地
1	ONE PIECE	4億7,000万部	尾田栄一郎	熊本県熊本市
2	ゴルゴ13	2億8,000万部	さいとう・たかを	和歌山県和歌山市生まれ 大阪府堺市育ち
3	ドラゴンボール	2億6,000万部	鳥山明	愛知県名古屋市
4	NARUTO ―ナルト―	2億5,000万部	岸本斉史（まさし）	岡山県勝田郡奈義町
5	名探偵コナン	2億3,000万部	青山剛昌	鳥取県東伯郡北栄町
6	こちら葛飾区 亀有公園前派出所	1億5,650万部	秋本治	東京都葛飾区亀有
7	美味しんぼ	1億3,000万部	花咲アキラ（画） 雁屋哲（作）	富山県射水市（旧・新湊市） 北京特別市生まれ 東京都大田区田園調布育ち
8	SLAM DUNK	1億2,000万部	井上雄彦	鹿児島県伊佐市
8	BLEACH ―ブリーチ―	1億2,000万部	久保帯人	広島県安芸郡府中町
8	鬼滅の刃	1億2,000万部	吾峠呼世晴（ごとうげ こよはる）	福岡県
11	ドラえもん	1億部	藤子・F・不二雄	富山県高岡市
11	鉄腕アトム	1億部	手塚治虫	大阪府豊中市生まれ 兵庫県宝塚市育ち
11	ジョジョの奇妙な冒険	1億部	荒木飛呂彦	宮城県仙台市
11	タッチ	1億部	あだち充	群馬県伊勢崎市
11	金田一少年の事件簿	1億部	さとうふみや（漫画） 天樹征丸（原作）	埼玉県大宮市（現・さいたま市） 東京都
11	北斗の拳	1億部	原哲夫（画） 武論尊（作）	東京都渋谷区生まれ 埼玉県越谷市育ち 長野県佐久市
11	進撃の巨人	1億部	諫山創	大分県日田市
18	はじめの一歩	9,800万部	森川ジョージ	東京都
19	サザエさん	8,600万部	長谷川町子	佐賀県東多久村 （現・多久市）生まれ 福岡市育ち
20	バガボンド	8,200万部	井上雄彦	鹿児島県伊佐市
21	キン肉マン	7,500万部	ゆでたまご （嶋田隆司 中井義則）	 大阪市 大阪市）
21	バキ	7,500万部	板垣恵介	北海道釧路市
23	HUNTER×HUNTER	7,200万部	冨樫義博	山形県新庄市
23	るろうに剣心	7,200万部	和月伸宏	東京都生まれ 新潟県長岡市育ち

25	三国志	7,000万部	横山光輝	兵庫県神戸市
25	キャプテン翼	7,000万部	高橋陽一	東京都葛飾区
25	鋼の錬金術師	7,000万部	荒川弘	北海道中川郡幕別町
25	FAIRY TAIL	7,000万部	真島ヒロ	長野県長野市
25	キングダム	7,000万部	原泰久	佐賀県三養基郡基山町
30	花より男子	6,100万部	神尾葉子	東京都生まれ ジャカルタ育ち
31	テニスの王子様	6,000万部	許斐剛（このみたけし）	大阪府豊中市
32	H2	5,500万部	あだち充	群馬県伊勢崎市
32	BADBOYS	5,500万部	田中宏	広島県広島市
32	銀魂 ーぎんたまー	5,500万部	空知英秋	北海道滝川市
35	クレヨンしんちゃん	5,400万部	臼井儀人（うすいよしと）	静岡県静岡市
35	MAJOR	5,400万部	満田拓也	広島県福山市
37	らんま1/2	5,300万部	高橋留美子	新潟県新潟市
38	ろくでなしBLUES	5,100万部	森田まさのり	滋賀県栗東市
39	ハイキュー!!	5,000万部	古舘春一（ふるだてはるいち）	岩手県軽米町
39	ガラスの仮面	5,000万部	美内すずえ	大阪府大阪市
39	DRAGON QUEST ーダイの大冒険ー	5,000万部	稲田浩司（作画） 三条陸（原作）	東京都荒川区 大分県
39	GTO	5,000万部	藤沢とおる	北海道
39	CITY HUNTER	5,000万部	北条司	福岡県小倉市（現・北九州市）
39	幽★遊★白書	5,000万部	冨樫義博	山形県新庄市
39	コブラ	5,000万部	寺沢武一	北海道旭川市
46	ドカベン	4,800万部	水島新司	新潟県新潟市
46	頭文字D	4,800万部	しげの秀一	新潟県十日町市
46	ミナミの帝王	4,800万部	天王寺大（原作） 郷力也（劇画）	大阪府 大阪府
49	クローズ	4,600万部	高橋ヒロシ	福島県河沼郡会津坂下町
50	ブラック・ジャック	4,564万部	手塚治虫	大阪府豊中市生まれ 兵庫県宝塚市育ち
51	静かなるドン	4,500万部	新田たつお	大阪府
51	DEAR BOYS	4,500万部	八神ひろき	新潟県新潟市

出典：漫画全巻ドットコム
https://www.mangazenkan.com/ranking/books-circulation.html を参考に柳瀬博一氏が2022年8月に作成

達もいますが、ちょっと帰って趣味やホビー感覚でできることではないし、田舎を離れてずいぶん経ちましたからね。

僕の田舎は仙台平野のど真ん中なので、山もないし、海も遠い。覚えているのは、米作りの5月になると田んぼに水を引くんですけど、その時、空が映ってきれいだった——それくらいですかね。

そういうことを身に染みて分かっているから、ないものを補完しようとして、想像力を満たそうとするんでしょうか。東京にいれば、そういった空白を考える時間もないけど、田舎で時間があると、想像する。漫画を描いたり、小説を書いたりしている。そうしながら漫画家になるんじゃないでしょうか。

逆にいうと、だから、あの長閑で退屈な時間っていうのは、僕にとって重要なものだったのかもしれないですね。東京に行く強い動機になった。

東京は人が多いから、いちいち人のことを気にしない。人が多いから多様性を認めざるを得ない。あと、東京では人が無名でいられる。どっかで喧嘩したら、そこを出ていけば終わり。それも大した距離じゃなくて、駅一つ変えるだけでいいぐらい。東京って、そのようにしてできているんじゃないですか。自由の大変さを受け入れて、自由にやっていく。大変ですけどね。それが東京なんじゃないでしょうか。

大友 克洋 略歴

漫画家、映画監督。１９５４年生まれ。宮城県登米市出身。73年、『漫画アクション』にて「銃声」でデビュー。代表作に『童夢』『ＡＫＩＲＡ』など。88年、自ら監督した自作漫画の『ＡＫＩＲＡ』が劇場公開。その後もオリジナルアニメ「スチームボーイ」などを監督する。２０１３年には紫綬褒章を、14年にはフランス芸術文化勲章オフィシェを授与され、同年、アニー賞ウィンザー・マッケイ賞を受賞。15年、フランスのアングレーム国際漫画祭で最優秀賞を受賞。

第4章

八王子、渋谷、六本木、上野——全部が面白い日々

日比野克彦の「偏愛東京」

八王子からスタートした東京体験

「偏愛東京」を語る前に、僕の「遍歴東京」からお話しします。

1976年に岐阜から上京して、最初の1年は進学した多摩美術大学のある八王子市に住みました。その1年後に東京藝術大学に進学して、上野のキャンパスに通うようになったのですが、住まいは国立（くにたち）に。その後、吉祥寺に移り、それから六本木へ。その間、社会人になって、アトリエ兼事務所を一時期、赤坂に置いていましたが、後で渋谷に構え直しています。八王子から中央線伝いにだんだん東上して、最終的に都心へ、というルートですね。

最初、東京に出てきた時は、周囲に美術を専攻する同世代がたくさんいるという、その環境に新鮮さを覚えました。当時の八王子は、「ケンタッキーフライドチキン」や「すかいらーく」など、最先端の業態だったファストフード、ファミレスが進出していたころで、新しい眺めがありました。それらはまだ岐阜にはなかった時代です。ただ、街並みを見て都会に来たと感じるよりも、まず「人」が違うことに驚いていました。

八王子から国立に引っ越したのは、多摩美の先輩の影響です。多摩美に通った1年間は、多くの仲間ができて充実していました。多摩美はユーミン（松任谷由実）の母校としても有名ですが、僕が入った時にはユーミンはもう卒業していて、上の学年に竹中直人さんがいて、TVに出はじめていて学内でも人気でした。1学年上にはプロダクトデザイナーの深澤直人さん、同期にはイラストレーターのしりあがり寿さんもいました。同じころ、武蔵野美術大学からは作家の村上龍さんが登場していて、東大では野田秀樹さんが「夢の遊眠社」を立ち上げていた。これからアート、表現に取り組んでいく自分には、とても刺激的な時代と環境でした。

八王子の近くには米軍横田基地があり、金網で囲まれた広い芝生のフィールドに、平屋建ての米軍ハウスが立ち並んでいました。憧れのアメリカンライフの匂いがあって、ハウスをアトリエにして住んでいる仲間もいましたね。

国立駅は可愛い三角屋根の駅舎で、北口駅前に「白十字」というケーキ屋さんがあり、当時から上品な文教地区というイメージでした。それでいて、サブカル感に満ちた店も存在していて、大学通りにあったライブハウス「ミルキーウェイ」のステージでは、確か久保田早紀さんも歌っていました。久保田さんは70年代後半に、「異邦人」が大ヒットします。

八王子に住んだ当初から、2年生になったら国立に引っ越すことは決めていましたが、1年後に東京藝大に受かって、通う大学が八王子から上野に変わっても、藝大大学院までの6年間は暮らしやすい国立に住みました。

東京で同志たちと切磋琢磨する

当時は国立大学の入試で共通一次試験が始まる前。願書を送るだけで国立大学を受けることができたので、1年後に藝大を受け直す仲間は普通にいました。

東京藝大は、現役時代、2年目とも美術学部デザイン学科を受験しましたが、当時は1、2次試験が実技試験でデザインの試験があり、3次試験が国語、英語、数学、社会という学科。現役の時は2次試験で落ちたのですが、その理由は、デザインの勉強が十分にできていなかったからだ、と自分で分かっていました。デッサンは岐阜にいながら一人でもできる、いわば「デッサン筋肉」の筋トレみたいなもの。一方、デザインは平面構成と立体構成で、感覚と作品をつなぐ感性（センス）が問われる。デザインセンスというものは、コミュニケーションの中で鍛えられるものなので、一人でやっていては磨かれないんですね。

その意味で、同じ志を持った人たちに囲まれて、切磋琢磨する環境は僕にとって重要でした。高校生の時に通った東京での夏期講習でも実感しましたが、東京にはいろいろな志を持った「人」がいっぱいいて、それぞれのフィールドで自己研鑽している。都市の環境には、自分の気持ちをかきたてられるものがあり、さらに多摩美の授業で鍛えられたのか、東京で1年過ごしてからの受験では2次、3次も通り、藝大に入学することになりました。

それはそれでうれしいことでしたが、多摩美を辞めるのはつらかったです。多摩美ではサッカー部に入っていて、その活動も含めて、とても楽しい時間を過ごしていました。藝大の合格発表を受けた時は、ちょうど春の合宿が迫っていたタイミングで、「ああ、サッカー部の仲間には何と言おう……」と、悩みながら先輩に電話で伝えたら、意外にも「おめでとう」という言葉をかけてくれて、ほっとしました。

美術学生の世界は、「知り合いの知り合い」でみんなつながっていくような感じで、藝大に入った後も、多摩美と藝大の友人を引き合わせたりしながら、交流は途絶えることがありませんでした。

藝大への通学は国立から中央線に乗って、神田で乗り換えて、山手線で上野へというルート。阿佐ケ谷や高円寺に友人が住んでいて、上野、新宿、阿佐ケ谷あたりで飲むことが多かったです。あるある話ですが、飲んで酔っ払った帰りに高尾まで行ってしまうことは、たびたびありました。

ワクワク、ドキドキの80年代

僕が世に出たきっかけは、パルコが主催した「日本グラフィック展」です。第1回は1980年。吉祥寺にパルコができたタイミングで、僕は学部の3年生。その時の大賞が武蔵野美術大学の学生だった伊東淳さんで、会場へ見に行った僕は大いに刺激を受けて、その先の目標ができました。僕自身は大学院1年生の時に応募して、大賞を受賞。メディアに載ったことで、作品が世の中に伝えられるようになりました。

当時はもう一つ、『イラストレーション』という雑誌が誌上で主催する「ザ・チョイス」という公募展がありました。これは選者が一人というユニークなもので、第1回の選者として、イラストレーターの湯村輝彦さんの名前が記されていました。湯村さんや横尾忠則さんが、アートシーンに強烈なインパクトを与えたころで、「これだ！」と思って、立体と平面の両方を出しました。これは大学3年の時です。そもそも立体は審査対象外だったのですが、平面の作品は優秀作品に選ばれて誌面に掲載され、大きな自信になりました。

これにはちょっとしたエピソードがあります。審査委員の湯村さんは、立体の方の作品も「何とか誌面に載せたらどうでしょう」と、編集部にかけあってくださったそうです。それで、「このような立体は受け付けません」という注意書きの体裁で、巻末に作品の写真が掲載されました。しゃれが利いていますよね。当時は次の時代を作る若者を応援する機運があり、雑誌の編集部にも遊び心、余裕がありました。

それを機に、立体の面白さにさらにのめり込んだ僕は、卒業制作でも段ボールを使った作品を作りました。段ボールは商店街や大学の裏あたりを、がさがさと探って調達していました。

大学4年生の時の卒業制作を見たギャラリーの方が「個展をやりましょう」と声をかけてくださり、大学院1年の夏に、代々木のギャラリーで個展を催すことになりました。

湯村さんにぜひ見ていただきたくて、編集部を通じて連絡を取ったら、奥さまの湯村タラさんと一緒に来てくださったことを覚えています。

その年に第30回ＡＤＣ賞最高賞をいただき、自分で貸し画廊を借りて銀座でも個展を開いたりしているうちに、いろいろなところから声がかかるようになりました。そのころ、パルコ出版から『ビックリハウス』という雑誌が出ていて、僕も連載を持っていたんです。渋谷発のサブカルチャー、パロディ文化を体現した投稿雑誌で、武蔵美出身の高橋章子さんが名物編集長でした。

『ビックリハウス』は、やはり武蔵美出身の榎本了壱さんと、日芸（日本大学芸術学部）を中退した萩原朔美さんが創刊した雑誌で、萩原さんは寺山修司さんが主宰する実験的な劇団「天井桟敷」で俳優、演出家を、榎本さんは宣伝美術を担当していました。

寺山修司さんの死去に伴い一度解散した天井桟敷が再結成して、渋谷パルコのスペースパート3で上演した「時代はサーカスの象にのって'84」という作品で、舞台美術を担当させてもらいました。天井桟敷でのはじめての舞台美術の仕事でしたが、なぜか役者としてもパフォーマンスをすることになって、これで自分の中のアートの枠はずいぶん広がりましたね。

80年代の「渋谷パルコ」（写真提供：共同通信社）

ギャラリーで展覧会を開くことも、もちろん楽しかったのですが、展覧会に来た人が向き合うのは基本的に作品です。作家にとっては、実は展覧会の会場は居にくい場所なのですが、舞台空間は違う。役者がいて、舞台の美術があって、観客もいて成立する空間を、みんなでリアルに作り上げていくことに、絵を見せるだけとは違う、ドキドキするものが宿っていました。

セゾン文化と渋谷の台頭

僕が本格的にアート活動を始めた80年代は、特に堤清二さんが率いる西武セゾングループが、アートによる新しい文化を仕掛けていて、拠点だった池袋、渋谷が注目された時代。原宿には森ビル系の「ラフォーレ原宿」があった。アートがファッションやライフスタイルに結び付き、テレビや雑誌を通して情報がどんどん行き交う、本当に面白い時代でした。

大学院までは国立、社会人1年目は吉祥寺、次は六本木と、じわじわと東京の中心に近づいていったわけですが、吉祥寺は「井の頭公園」の横にあるマンションで、住み心地はよかったですね。吉祥寺には東急百貨店、伊勢丹、近鉄百貨店という百貨店が揃って賑やかでしたし、井の頭公園の入り口脇には「いせや」のような名物の焼き鳥屋もありましたし。

吉祥寺駅から井の頭公園に行く途中の雑居ビルには、80年代の空気感をまとった「ペンギンカフェ」という店がありました。2階がカフェで、3階が雑貨店という構成でしたが、オーナーが「アートコネクト」という言葉を標榜しながら、アーティストの作品を積極的に展示していて、ギャラリーカフェの先駆けのような空間でした。僕も吉祥寺のアートスペース「アルターマルクト」というギャラリーショップを一時期プロデュースしていました。

中央線沿いに住んでいたころは、新宿によく飲みに行っていました。舞台の若手役者らが集う「池林房（ちりんぼう）」という名の店があって、中央線沿線の友人たちと共有する1升瓶が置いてあって、なくなると誰かが入れる。大学のある上野、御徒町でまず飲んで、そこから新宿へ行って、終電がなくなって朝まで飲むパターンです。

当時はまだ六本木に防衛庁があって、イメージとして六本木は大学生が行けない夜の街でした。僕も最初、行き方が分からなかったくらいです。

80年代は西武百貨店、パルコ、伊勢丹など流通系の企業がアートシーンを仕掛けた時代です。西武池袋本店には「西武美術館（後にセゾン美術館）」が、伊勢丹新宿本店には「伊勢丹美術館」があり、それまでの「美術」とは違う「アート」の刺激的な展覧会がひんぱんに催されていました。西武百貨店の渋谷店には「シブヤオルタナティブスペース」という、若手アーティストを発掘する場所も設けられていました。

僕たちは当たり前のように、そのムーブメントの最中にいましたが、振り返ると百貨店がアートシーンを牽引するのは、かなり不思議な、かつ日本的な構図だったと思います。たとえばパリのプランタンやサマリテーヌが、美術館をやるなんて、考えられない。

そこには、日本人が歴史の中で育んできた美術への接し方があったと思います。浮世絵にしろ、襖絵にしろ、日本人は生活の中に「美」があり、それが商いにも結び付いていた。対して、ヨーロッパで「美」を推進し、栄えさせたのは王様や王族といった権力者、お金持ちのパトロンたち。日本でも狩野派のような幕府の御用絵師はいましたが、それに比するものとして庶民文化があり、日常に根付いていた。

伊勢丹、三越といった老舗は、前身が呉服屋ですよね。昔は家に呉服屋が訪ねてきて、反物をバッと広げて、「奥さまどうですか」なんてやっていましたが、あれは非常に美術商的な眺めでしたね。この家の人はこういう趣味だから、こっちの反物がいいだろうなどと、売る側に目利きの才が必要で、そのセンスがないと商いができない。百貨店の上階に画廊、さらに上のフロアに美術館がある、という形式でしたが、あの光景はとても日本的なのでしょうね。

西武百貨店のような昭和時代の新興百貨店は電鉄会社が母体で、それももう一つの日本的なあり方として、アートシーンに作用したと思います。電鉄会社は鉄道を敷き、商業地と宅地を造成して、独自の生活圏を作り上げていきます。そのビジネスはまさに、街づくり、地域づくり、人づくりで、そのビジョンの中にアートがあり、結び付いていったのだと思います。

華やかなりし六本木のころ

僕は1985年から、NHK教育テレビ（当時）で「YOU」という若者の討論番組の司会を務めていて、仕事においては渋谷が「ホーム」のような感覚でした。渋谷駅からNHK放送センターに行く間に西武百貨店があって、パルコがあって、その隣に

「ジァンジァン」のようなアングラシアターがあって。西武百貨店は、糸井重里さんがコピーを書いた「じぶん、新発見。」「不思議、大好き。」「おいしい生活。」の一連の広告で、若者文化と消費の拠点になっていたし、同時にミュージシャンやパフォーマー、演劇人らが集まるサブカル的な匂いがストリートにあった。僕自身も作品とともに街に出ていく感じでした。

八王子、国立、吉祥寺と、中央線をすごろくのように移動して、六本木の住人になったのは、90年ごろです。飯倉片町から坂を下ったところにある「和朗フラット」という瀟洒なアパートに暮らしました。駅からはちょっと歩く、都会の中のビレッジみたいな雰囲気の一画で、ユーミンや加藤和彦さんたちが集まっていたイタリア料理店「キャンティ」のすぐそば。大家さんがスペインに行って、その雰囲気に憧れて建てた南欧風のアパートで、部屋はそれほど広くはないのですが、歴代のクリエイターたちに気に入られていました。不動産屋に空き情報が出ない物件で、僕は仕事の先輩から「今度、引っ越しするけど、どう?」と言われて、「引っ越します」と即答しました。

藝大を卒業した後は、制作の場所がなくなっていたので、同時期に赤坂の檜町小学校の近くにアトリエを借りることになりました。そこも先輩が使っていた物件で、彼が海

80年代、六本木交差点で行き交う人々（写真提供：共同通信社）

外に行くことが決まって、僕に話が回ってきたのです。

六本木で「Ｊトリップバー」をプロデュースしたのは、まさに和朗フラットで暮らしていた時です。店のネーミングの「Ｊ」はオーナーの頭文字から来ていて、当初は「Ｊクラブ」という名前で営業していました。最初、溜池に出店して、その後、六本木や渋谷にも展開した、都会の先端的な店でしたが、僕を最初にＪクラブに連れて行ってくれたのが坂本龍一さん。「ここの壁が空いているから、日比野くん絵を描いたらどう？」と、坂本教授から言われて、絵を描きました。そのころニューヨークではキース・ヘリングのように、地下鉄構内の壁に落書きのようなペインティングをするストリートアートが流行っていて、僕もその感覚で楽しみました。

Ｊクラブの壁に絵を描いた1、2カ月後に、店が六本木に移転するというので、今度は本格的に内装を任されて、グランドピアノなんかにもペインティングを施しました。

70年代末に映画「サタデー・ナイト・フィーバー」がヒットして、そこからディスコブームが沸き起こっていて、赤坂には老舗の「ムゲン」、新宿にはロンドンカルチャーでとんがっていた「ツバキハウス」がありました。僕よりちょっと上の世代が集まっていたそんなディスコが、80年代にはカフェバー的な方向に行って、六本木のＪトリップ

80年代の「ツバキハウス」（写真提供：共同通信社）

バーでは、クラブ的な色彩が強まった。文学、スポーツ、映画、アートと、いろいろなジャンルの人たちが集まって、一時、19世紀末のパリやロンドンのように、互いが互いを刺激し合う空間になっていました。背伸びした高校生や大学生も出入りしていて、先日、東大の藤井輝夫総長からも「東大生の時に行っていました」と声をかけられました。

Jトリップバーはその後、苗場にも出店しました。深夜2時に遊び仲間が集まって、東京から苗場まで特別仕立てのバスを出す。そこにスキー道具と一緒にダンスの衣装も持って乗り込んでね。なんか、キラキラしていましたよね。当時はモータースポーツの「鈴鹿8耐（鈴鹿8時間耐久ロードレース）」も流行っていて、島田紳助さんのチームなども参加していましたが、Jトリップバーもチームで参戦していて、僕はレーシングカーやレースクイーンの衣装も手がけていました。

渋谷で「日比野克彦を保存」してみた

その後、赤坂のアトリエは先輩の帰国で使えなくなり、新たに渋谷に仕事場を設けました。1964年東京五輪の年に建てられた「秀和青山レジデンス」で、秀和レジデンスシリーズの最初のマンションです。

設計は建築界の重鎮、芦原義信さんで、広くスタイリッシュなロビーとともに、フルメンテナンスの冷暖房完備。24時間の管理体制で、お手伝いさんが常駐して、何かあったらお医者さんに診察をしてもらえるサービスもついている、という画期的なマンションだったようです。

創業者がペントハウスに住んでいらしたのですが、2021年に老朽化で取り壊して、建て直しすることが決まった。以前は8階建てでしたが、建て直し後は地上26階・地下2階のタワーになります。

ここは僕の制作の場であり、事務所であり、倉庫であり、かつ生活の場でもあって、モノだけではなく、時代ごとにその空気を反映した「コトづくり」に取り組んできた空間。東京の街には、誰かが何かを作り続けた場所が無数にあるはずですが、老朽化とともに、その記憶は失われていってしまう。それに対抗して、何かアクションを起こしたいと思いました。そこで20年に「日比野克彦を保存する」と名付けた実験的なプロジェクトを行い、「東京藝術大学大学美術館」の付属施設で展覧会を開催しました。

藝大の大学院には「文化財保存学専攻」という組織があって、それが母体となり、22

年に「未来創造継承センター」という新たな組織が生まれました。過去の芸術作品だけでなく、これからの文化財のあり方を考えています。文化財の保存というと、仏像や日本画をイメージしますが、21世紀は新しい手法、新しい素材の芸術作品も修復、保存していく必要があります。

たとえば僕の段ボールの作品は、素材が劣化する紙なので、それだけでも保存の難しさがあります。また、いまはデジタルアートなど、作品が従来の概念を超えてきていまず。デジタルの保存は今後、そのデータをメタバースに保存する、といった形になるでしょうが、では、取り壊されるヴィンテージマンションと、そこで起こった「コト」の記憶は、どうやって保存したらいいのか。

歴史的建造物の神社仏閣は、保存される術が伝えられていますが、何もアクションを起こさないと、1964年築の秀和青山レジデンスはただ、取り壊されてしまうだけです。作品のみならず、画材、壁の落書き、ひいてはマンションがあった渋谷の街の雰囲気――。秀和青山レジデンスに限らず、この時代の建築は、かなり壊されていますし、それとともに街の空気も一変していきます。その状況を前にした時に、「日比野克彦を保存する」という企画が始まったのです。

展覧会では360度カメラなども使って室内を記録するとともに、そこにあったモノについて、概要と量を把握し、名前を付けて分類も行いました。アーティストの作品を語る時、どんなアトリエで、どんな画材を使っていたのかが分かると、作品が誕生した背景と、その意図も分かってきます。

渋谷の街は西武があって、パルコがあって、NHKがあることで、自分の作品が生まれた。八王子や吉祥寺に居続けたら、作品は生まれなかったと思うのです。この展覧会は、自分が社会と接続しながら生活する中で、また、周りと関係性を結ぶ中で、街と作品との関わりを検証する、という問いかけになったと思っています。

時代とともに街も変わる

僕は80年代の東京と暮らしていました。いま、時を経て思うのは、30、40年の間で、人と街との関わりは大きく変化するものだな、ということです。

藝大の学生だったころは、若い僕にとっては銀座だってもう古いと思えた。

当時は東京の軸が完全に西に動いていて、渋谷、青山がその中心。もう銀座の画商じゃないでしょ、デパートの美術部じゃないでしょ、やっぱり渋谷でしょ、という方向に時代がぐっと寄っていた。

浅草はいまでこそ、浴衣を着て花火大会を見ることが若い人の間でもトレンドになっていて、伝統回帰などといわれていますが、80年代にその空気は希薄でした。花火大会は親や祖父母世代が楽しむもので、俺らはもっと新しいことをやるよ、ぐらいの感覚です。

その後、江東区に「東京都現代美術館」ができて、墨田区に「東京スカイツリー」ができて、軸が東に動いてきた。桜の季節は若い人たちがそぞろ歩くことが風物詩になり、花見、花火、下町というキーワードも、若い世代に浸透している。

六本木も若者が背伸びをし、頑張って遠征する夜の街ではなくなっていますよね。「六本木ヒルズ」に「森美術館」、「東京ミッドタウン」に「サントリー美術館」、乃木坂方面に「国立新美術館」ができて、六本木は街の性格自体が変わりました。

僕がJトリップバーに関わっていたころは、店に感覚の合わないやつが来ると、「なんでお前がここにいるんだよ」と、ちょっと排他的なところがあった。

でも、いまはSNSがあるから、リアルな場所でいちいち顔を合わせる必要がない。

どこでも、いつでも、人とつながれるバーチャルな場所がある。

上野はもともと、公園、美術館、動物園、藝大と文化施設が集まっている場所で、隣接する谷根千（谷中・根津・千駄木）も、人気散策エリアです。もとからこの街にいた人たちに加え、新たに上野の魅力を知った人たちが増えたと思います。

上野には「寛永寺」という大きな存在があります。先日、寛永寺の執事さんに招かれて、普段は立ち入ることができない場所を拝見させていただきました。藝大のすぐお隣ですが、うかがってみると、知らないところだらけなんです。

寛永寺は徳川家康、秀忠、家光の三大将軍の帰依を受けた天海大僧正が、1625年に創建した天台宗のお寺で、2025年に開山400年を迎えます。

執事さんからの受け売りですが、寛永寺は幕末の戊辰戦争で伽藍の大部分が焼けて、境内地が官軍の明治政府に没収され、一時は壊滅的な状態に陥りました。その後、最後の将軍、徳川慶喜と交誼のあった渋沢栄一が出てきて、市民のための公園や美術館を作ることで、寛永寺の復興も図り、いまの「上野公園」の原型ができたそうです。

渋沢は早くに亡くなった先妻のために、お堂を寛永寺に建てました。自身の墓所は谷中霊園にありますが、いまもご一族の法要は寛永寺でされているそうです。

寛永寺には「寛永寺三十六坊」という36の塔頭があります。これは徳川幕府のスタート時に、36の大名が建てた塔頭寺院で、参勤交代の時、各藩は事務所としてここを使っていたのだそうです。いわば、江戸時代の都道府県会館です。

そのような歴史から見ると、上野の見方がまた違ってきます。一帯は寛永寺のような力のある寺院の領地だったから、戦後も商業開発がされにくかったし、虫食いでの切り売りもまぬかれた。東京、しかも山手線の内側に広大なスペースがあって、そこに由緒ある寺、大学、名所・旧跡が集結している。一時はスカイツリーの立地も上野の山という案が出ていたそうですが、上野界隈は、見つめ直すとすごく深みのあるエリアだということに気付きました。

「藝大×街づくり」の可能性

藝大では2017年から、アートと福祉をさまざまな角度から考察し、文化的処方を実践する講義&演習プログラムの「Diversity on the Arts Project（通称：DOOR）」を開講しています。これは文部科学省が推奨する「履修証明制度」に則っています。同制度は社会人とその大学に在学する学生を対象として、大学が体系だった学習プログラムを提供することになっていて、社会経験のある人と勉強中の学生が混じって、「アート×福祉」について学ぶところが利点です。

カリキュラムは「ダイバーシティ実践論」「ケア原論」など教室での聴講やディスカッションに加え、「アートプロジェクト実践論」「美術鑑賞実践演習」など、ワークショップや演習も多く用意しています。現在は美術館・博物館でも、従来の学芸員ではなく、「アートコミュニケーター」といって、鑑賞者と作品をよりアクティブに媒介する役目が求められ、対話型鑑賞など、新たな鑑賞スタイルが実践されています。

福祉の世界も、介護者による一方向のケアではなくて、「社会的処方」というように、社会全体の構図から、介護をする人、される人の関係性を作り直していく動きがあります。この「関係性」の構築にこそ、アートの出番はあるのです。その延長で、街づくり、地域づくりも、僕たちのテーマになっているのです。

実際、僕のもとには、地域ブランディングの相談に来られるデベロッパーが増えています。タワマンがある眺めは、東京では珍しくなくなりましたが、垂直のタワーだと街に必要なコミュニティや人間同士の関係が希薄になるなど、さまざまな課題が出てきています。

殺伐としたコンクリートの眺めだけでは、人は楽しく生きていけません。その意味で、アートやクリエイティビティは街にも必要不可欠な要素です。これは文化の側面だけでなく、利益を追求するデベロッパーにとっても同じ。単なる駅近だけではマンションが売れない時代に、どうやって価値を付加していくか。「街づくりに取り組んでいる姿勢」を打ち出さないと、企業にとってもビジネスがジリ貧になってしまう現実があるのです。

滝久雄さんは、企業や団体が上げる利益の1%をアートに支出する「1%フォー・アート」の活動を長く展開されています。今後は、ステンドグラスや陶板、彫刻など二次元、三次元のパブリックアートだけでなく、アートを街に取り込むという僕たちの姿勢そのものを媒介にして、リアル、バーチャル双方のさまざまな次元・シーンで、人も街も発展していく。そういうエコシステムを作っていこうと考えています。

藝大4キャンパス（上野、取手、横浜、千住）の個性

東京藝大は上野のほかに、取手市（茨城県）、横浜市、北千住（東京都足立区）の4カ

所にキャンパスがあります。取手キャンパスは美術学部2年以上の先端芸術表現科と大学院の一部、横浜キャンパスでは大学院映像研究科、千住キャンパスでは音楽学部音楽環境創造科と大学院の一部が設置されています。

アートと大学の場所は、相互関係があると思っています。僕の学生時代でも、中央線沿線に多摩美術大学、武蔵野美術大学があり、美術学生が街のそこかしこにいたことは、地域にとって大きな個性につながったはずです。それによって、中央線独特のカルチャーが醸し出されたと思うのです。

藝大の取手キャンパスは、利根川のそばにある広大な敷地で、ここでは2匹のヤギを飼っています。もちろん、ただの遊びではなく、芸術教育の一環です。発案者は先端芸術表現科の小沢剛先生。そこに藝大出身のアーティストや地域の方々が集まって、活動を広げています。

「ヤギの目で社会を見るためのプロジェクト」と銘打っていますが、たとえば藝大生と地域の子ども、大人が一緒になってヤギ小屋を作る。敷地を開墾して、野菜を育てる。ヤギの乳からチーズを作る。フンから陶土を作って陶器を焼く。そんなことに一緒に取り組む中から、地域の絆が育っていくんですね。何よりもヤギがいることで、キャンパスがシアトリカル（劇場的）な場所に変化していく。ヤギはあと40〜50匹くらいは飼えるとのことですが、こういうことは、都心の上野ではちょっとできないですね。

横浜のキャンパスは、旧富士銀行横浜支店だった歴史的建造物が校舎で、千住は雑多な面白さがあふれる東京の北千住の街に位置しています。その土地ならではの特性と藝大がどう関係を結ぶかは興味深いテーマです。特に千住キャンパスがある北千住は、庶民的な味わいが人気の下町で、何かを生み出す原動力になると思います。足立区に藝大を招致した近藤弥生区長も、「大学生がいることによって、街が面白く変わる」とおっしゃっています。

アーティストを街に活用しよう

大学生がいるから元気がいい、という言い方もありますが、僕はそれをさらに発展させて、アーティストたちがいるから活気がある、という流れにしていきたいですね。

そうはいっても、藝大の構内って入りにくいでしょう（笑）。キャンパス併設の東京藝術大学大学美術館は、入館料を支払えば自由に鑑賞できますが、キャンパスは開放されていません。昨今のセキュリティの事情から仕方ない点はありますが、本来なら垣根なくキャンパスに入れて、彫刻科の学生が石を彫っている音、声楽科の学生が練習している声などが、身近に感じられるといいなと思っています。

すべてを開放することは無理ですが、音楽学部と美術学部を分けている道路を、週末だけでも遊歩道にして、アートマーケットを催したりすることは「アリ」だと考えています。藝大生の作品を買える場として、キャンパス内に入場無料の「藝大アートプラザ」があるのですが、塀の内側なので、ちょっと敷居が高い感じがする。

寛永寺の古地図を見せていただいた時、音楽学部と美術学部を分ける道路は、そこにはありませんでした。「東京2020オリンピック・パラリンピック」の時に、試しに車をストップして歩行者に開放してみましょう、と話が進んでいたのですが、コロナ禍が起きてしまって、実現できませんでした。いつかきっと実現したいですね。

江東区の清澄白河は東京都現代美術館が1995年に開館し、そこから土地の知名度が上がりましたが、「ブルーボトルコーヒー」が2015年に日本1号店を出店したときから、さらに街としての注目度、人気が高まりました。

こういうムーブメントは自発的なもので、不動産会社などが仕掛けられるものではない。個人の感性や力量が発揮できる場が街にあるのは、いいことですね。そのきっかけがコーヒーロースターというのは、いまの時代らしいと思います。昔はアート、エンタメはお酒と距離が近かったものですが、いまはコーヒーなんですかね。

デザイン思考を駆使した「アート×食」の学食

その流れでいうと、学食もいまはただお腹を満たせばいい、というものではなくなっています。

藝大には「藝大食樂部（クラブ）」という学食があります。国立大学ですので、運営者は公募、入札を経て決めるのですが、運営しているチームは、「アート×食」の関係をいろいろと考えている人たちで、学食を通して藝大生にそれをアピールしようとしている。課題解決のためにデザイン思考を駆使しながら、運営に取り組んでいるんです。

その一つが、地方の産地とともにアクションを作っていくことです。たとえば、佐渡島の生産者から仕入れた特産のカキや野菜を、藝大生が学食で食べる。それをきっかけとして、藝大生が佐渡島に行って、作品を制作する。という企画を考えたりしています。

東京で長距離バスがいちばん集まる拠点って、どこだと思いますか？「バスタ新宿（新宿高速バスターミナル）」といいたくなるでしょうが、実は「東京ディズニーランド」なんです。

この会社は地方の朝採れ野菜を、この長距離バスに乗せて運ぶワザを編み出しました。長距離バスの荷物置き場は、けっこう空いているもので、野菜の段ボール箱ぐらいだったら、余裕で積むことができるそうなんです。地方のバス会社の悩みは、そんな空きスペースや空席の割合をいかに軽減するかなんですね。

一方、産地直送のものは輸送コストがかさむので、誰もが新鮮な食材を楽しみたいと思いながら、どうしても仕入れのハードルが高くなる。藝大の学食の運営者チームは、ディズニーランドを中継点にして、産地からの食材を届けることで、輸送コストの問題をクリアし、おいしい野菜や季節の収穫品を届けてくれていることを試みています。

消費の場所として東京を考えた時、生産地とつながって、はじめて都市・東京は成立しています。その意味では佐渡島も東京の一部、千葉県浦安市のディズニーランドも東京の一部。ひと昔前は東京に行けば何でもある、といわれましたが、いまはむしろ、地方に行けば何でもある時代なのです。

上野は世界発信できる街

アートとは何かというと、人間の心のモヤモヤしているものが、その原型です。人間の心って、本当に分からない。学生に限らず、現代人は過剰な情報の中で、常にモヤモヤを抱えていると思います。モヤモヤは生きづらさのもとでもあるけれど、それこそがアートの苗床。未来、人が見えていること、分かっていることなんて、ほんの少ししかない。分かったと思えたとしても、その先にすぐ、分からないことがまた出てくる。その連続の中にアートが生まれる。その繰り返しです。

これは個人に限らず、企業だって同じです。不動産デベロッパーや行政など、いろいろな領域の「モヤモヤ担当者」が僕のもとにいらっしゃる。そのモヤモヤをアートで解決することが、僕にとってチャレンジングな仕事です。

藝大のお隣には、谷根千という実践地があることは心強いですね。現代アートのギャラリー「SCAI THE BATHHOUSE（スカイザバスハウス）」は、谷中で200年も続いた由緒ある銭湯建築を、1990年代にギャラリーへとリノベートし、地域再生の先鞭を切りました。オーナーはフジテレビギャラリーにいらした現代アートの目利き、白石正美さんですが、立ち上げ時からアーティストやギャラリストなど藝大出身者が多く関わっていいます。そして、現代アートに対するセンサーやアプローチは、いまも先輩から後輩に受け継がれていると感じています。

谷中のシンボルだった「カヤバ珈琲」は、先代が店を閉めた後、「特定非営利活動法人たいとう歴史都市研究会」が建物を借り受けて、新しい世代の運営者に店が引き継がれました。その時の建物調査・保存監修は藝大大学院の文化財保存学専攻の研究室が担っています。近隣のよしみでスカイザバスハウスも協力されています。

そのように藝大が街に関わる一方で、谷根千に住む方々は、自分たちが藝大生を支えている、という自負を持ってくださっていると思います。近隣でいうと、きっと本郷の方々は、自分たちが東大生を支えていると思っておられるでしょうし、早稲田の界隈もそんな感じでしょう。京都だと京大生と京都の街の関係がそうだと思います。

藝大のキャンパスは上野、鶯谷、御徒町、根津、千駄木と、どの駅を使っても、歩いて15～20分くらいの距離にあります。上野公園から藝大前を抜けて、谷根千の狭い路地に入っていく、そのストリート感は本当にわくわくするもので、これは世界に発信できる都市モデルです。鶯谷から寛永寺を抜けてくると、また雰囲気がガラリと違いますし、桜の季節は御徒町から上野公園を通ってキャンパスに来るルートも楽しいです。

日比野 克彦 略歴

アーティスト、東京藝術大学学長。1958年生まれ。岐阜県岐阜市出身。82年、東京藝術大学美術学部デザイン科卒業。卒業制作で第1回デザイン賞受賞。84年、同大学院美術研究科修了。82年、第3回日本グラフィック展大賞、83年、第30回ADC賞最高賞受賞。86年、シドニー・ビエンナーレ、95年、ヴェネチア・ビエンナーレ出品。99年、毎日デザイン賞グランプリ、2015年、文化庁芸術選奨芸術振興部門文部科学大臣賞受賞。22年より現職。

第5章

僕たちの「偏愛」の源は、ステレオタイプとは違うところにあるみたいです。

――隈研吾、大友克洋、日比野克彦

偏愛のポイントとして、
どのくらい小さいものを取り上げられるか
が重要だと思っています。
たとえば公園そのものじゃなくて、
そこにあるベンチとか、
そのベンチの角とか。
そういうものに注目することが、
東京っぽくていいんじゃないかな。
僕の事務所では、
日本を含めて32カ国ほどの国籍の人たちが働いていて、
彼・彼女たちを観察する中で

僕が発見した特質だから、
エビデンスがあります（笑）。
日本人だけができることが確かにあって、
それは僕たちのある種の特別な能力
という気がしています。
その小さいものを「偏愛東京」で
取り上げるようなことをすると、
世界にアピールできるのではないか
と思っています。

隈 研吾

僕は用事がないと動かないタチで、
東京もずいぶん出かけていないんですよ。
だから、用事を作って、
なるべくこれまで見ていない
東京を見てみたいな、という気がします。
東京にいながら、
やり残していることがいっぱいあるのですが、
どれから始めるかと考えると、
そこで止まってしまう。

コロナ以降、
銀座も変わった、池袋も変わった、
といろんな話を聞いているので、
それらは見ておかないとね。
自分なりに偏見を持って。
あえて偏見を捨てずに東京を見るってことが、
僕にとっては大事なんです。
大友 克洋
武蔵野中央公園
五日市街道
中央本線
三鷹市

いま、美術の世界では、
人と美術館をつないでくれる
「アートコミュニケーター」という
存在が注目されています。
それでいうと「偏愛東京」は、
人と街をつなぐコミュニケーターになるのでしょう。
ただ、コミュニケーションって、
そう簡単なものではありません。
地球上に人間が約80億人いるとしたら、
価値観だって約80億個。
コミュニケーションを取り持つことは、

それほど途方もない中にあるわけです。
僕は、その途方もない数の中から、
何かをコツコツと見つけだしていくことに
意味を感じています。
特に、健康で元気な人だけでなく、
いろいろな背景を持った人、これまで大きな声を
出せないでいた人の存在が見えてきたら、
「偏愛東京」は新しい取り組みとして
成功だと思っています。
日比野 克彦

第6章

「鉄道」「地形」「食」なしでは、東京は語れない

滝久雄の「偏愛東京」

隈研吾さん、大友克洋さん、日比野克彦さんに、それぞれが偏愛する東京を語っていただきました。同じ「東京」をテーマにした話題であっても、視点や関心が異なる、違った街の魅力が見えてくるのではないでしょうか。

私は1940年に渋谷区の神泉で生まれ、幼少期に一時期、香川県に疎開していたことがありますが、その期間を除く70年以上、東京で暮らしています。時代とともに東京の街並みも変わってきましたが、変わるもの変わらないものを含め、いつも「東京はそれ自体がディズニーランドを超える面白さがある」と思っています。

東京には、世界にも例を見ない特徴があります。それは何か――。私は、「鉄道」「地形」「食」の3つの切り口から東京への〝偏愛〟について語ってみようと思います。

世界に誇りうる東京の鉄道事業

市街地のあらゆる場所をカバーしている東京の鉄道網は、都心を中心に50キロ圏内に線路の総距離が2500キロ以上、駅は約1500あり、その駅を中心に街が放射線状に広がる強力なインフラです。優れているのは、利便性だけではありません。人工知能による自動運転を実装し、世界で類を見ない定時運行を実現、駅構内の清潔さや治安のよさは、世界屈指のものだと思います。

私がその価値に気が付いたのは、１９６８年末、28歳で単身アメリカに渡航した時でした。そこで出会ったＵＣＬＡ（カリフォルニア大学ロサンゼルス校）でトランスポーテーションの研究をしていた日本人教授から、「日本の鉄道網はすごい。電車は清潔だし、どこへでも行ける。安全で時間も正確。アメリカとは大違いだ」と言われたことがきっかけです。日本にいた時は当たり前のこととして意識しなかったことが、海外に暮らす人の視点を通して改めて意識させられました。

東京の鉄道といえば、乗降者数の多さも際立っています。近年は、新型コロナウイルス感染症の蔓延による外出自粛の影響などで乗降者数が減った面もありますが、２０１７年度にＪＲ東日本が発表した新宿駅の1日平均乗降客数は、接続している各私鉄の乗降人数を合わせて約３５３万人。この数字は、世界最多とギネスブックに認定されています。乗降客数が多い駅を世界のランキングでみると、新宿の次に渋谷駅（約

310万人）、池袋駅（253万人）と東京の駅が上位3位を占めています。これに関しては良し悪しがあるでしょうが、いずれにしても東京を語るのに「鉄道」が外せないことが分かるのではないでしょうか。

駅は街のランドマークで、強力なメディア

これだけの人が日常的に鉄道を利用しながら、大きな事故やトラブルが発生しない限り、安全に定時運行できている大都市はほかに類を見ません。私は長年、鉄道を主体とした広告事業を手がけていますが、それは、広告を打つことを考えた場合、駅や鉄道は極めて魅力的な場所だと考え続けているからです。新聞、テレビ、ラジオ、雑誌というマス媒体に拮抗する、メディアとしての広告ポテンシャルが、日本の駅や鉄道にはあります。

そこで具体的にどんな鉄道広告が求められているのかを研究した結果、モジュール（規格）化、ネットワーク化、大型化という結論に至り、それを企業の販促媒体とすることを考えつきました。かつて駅の看板は、駅周辺にある銀行の支店や病院、不動産業者

などへの道標広告がほとんどで、大きさや形状も異なる雑然としたものでした。駅にある広告は通学・通勤・買い物をする人が移動の途中で強制的に見せられる、いわゆるプッシュのメディアなので、そのデザインの好感度が、とても大事だと考えました。

駅を中心に街が作られた日本において、駅は人が集まり、行き来する公共空間、すなわちパブリックスペースです。広告事業を展開する一方で、私は駅を情報発信の場としてのみならず、アートで心和む居心地のいい空間にしたいと願い、また、待ち合わせなどのランドマークとして、駅などの公共空間に大型の芸術作品を設置するパブリックアート事業にも取り組みました。早いもので２０２２年に、事業開始から50年の節目を迎えました。これまでに設置した数は全国で５５０を超えますが、日常的にアート作品に触れる機会を多くの人に提供できているのではないかと自負しています。

地下にも広がる東京の大都市空間

さらに、東京の特徴を語るうえで、地下通路の話題も外せません。地下というと、暗く、狭いイメージを持たれるかもしれませんが、東京駅周辺の地下通路は「地下都市」

と表現してもおかしくないほどの明るさと規模を誇っています。
私はほぼ毎日のように、東京駅周辺の地下通路を歩いています。社員と仕事の話をしながら歩くので「ウォーキングミーティング」と称していますが、地下通路なので、雨が降ろうが、風が吹こうが、関係なしで続けられます。日比谷にあるオフィスから「銀座ファイブ」の地下街に入り、丸ノ内線の地下通路、有楽町界隈の商業ビル地下を経由して、「東京国際フォーラム」「丸ビル」「新丸ビル」の地下街を通り、大手町駅の地下通路を延々と歩き、「日比谷シャンテ」の地下に戻るコースで、その距離は約5・5キロ。もう27年も続けている習慣で、これまでの総キロ数は地球1周と四分の一にあたる5万キロにまでなりました。

丸の内の地下通路からは、八重洲地下街へと足を延ばして、日本橋方面まで歩き続けることもできます。八重洲の地下街はいま、日本一のキャラクター商店街「東京キャラクターストリート」になっており、新陳代謝も活発です。東京駅に接続している鉄道路線は、地下ホームだけでも13路線あり、地上同様に飲食店や生活雑貨店などが立ち並ぶさまは、まさに「大地下都市」といえるのではないでしょうか。

地下にあるアート作品にも注目です。地下のアートといえば、スウェーデンの首都・ストックホルムが有名ですが、東京の地下街にあるアート作品も見応え十分です。こうした地下街におけるパブリックアートが果たす役割は、清潔感や安心感、安全性の面でも大きいのではないかと思っています。

一例を挙げると、東京メトロ銀座駅の日比谷線コンコースにあるステンドグラス「楽園（銀座のオアシス）」（1994年完成 原画・監修 平山郁夫）と、東京メトロ銀座線の日本橋駅にあるステンドグラス「日本橋南詰盛況乃圖」（2021年完成 原画・監修 山口晃）のどちらも、私が理事長を務める公益財団法人「日本交通文化協会」が企画したパブリックアートですが、すばらしい作品です。特に山口先生の作品は、江戸から現在に至る日本橋の街並みが混在していて、興味が尽きません。日本橋に立ち寄られた際は、ぜひ足を止めてゆっくり眺めてみてください。

これだけの規模を持つ地下施設に求められることは、今後ますます増えていくと思います。以前、大学時代の恩師で建築家の清家（せいけ）清先生と地下街を歩いていた際、清家先生が「東京のような地下街は世界に類例がない。ただし、災害が起きた時には、煙に巻かれないで避難できる道標も同時に必要だね」と言われたことを思い出しますが、街の発展には、文化と機能の両輪が必要です。22年5月、東京都は国民保護法に基づく「緊急一時避難施設」として、東京メトロ、都営地下鉄の地下駅など都内１０９カ所を追加したと発表しました。国際情勢が緊迫化する中、地下施設の活用法は広範囲にわたって議論されていくものだと考えています。

坂道から江戸時代の街づくりが見えてくる

次に「地形」について。まず、東京はとにかく坂道が多い。23区内には名前の付いた坂だけでも９００近くあるそうで、特に、山の手線の内側にある千代田区、港区、新宿区、文京区エリアは坂道だらけです。先日、タモリさんとご一緒する機会があったのですが、彼は「日本坂道学会」の副会長を務めていて、その坂道愛を聞いていると、感心することや新しい発見などがあって面白かったですね。

東京に坂が多い理由は、江戸時代に、起伏があり海岸線も入り組んでいた土地を開発したことによるものです。江戸の駕籠屋（かご）が、「下町では橋の名、山の手では坂の名」を覚えるよう戒められていたという話は有名ですが、「坂」は山の手台地と下町低地の境界に作られました。坂名の多くは江戸時代に付けられたもので「幽霊坂」「暗闇坂」「団子坂」「狸坂」など、名前を聞いただけでその周辺の光景が目に浮かぶような名称です。

「富士見坂」という名の坂も多いのですが、現在は、高層ビル建築などの影響でなかなか見ることができなくなったのが少し残念です。ちなみに、私の母校である東京工業大学の構内にある陸橋からは富士山が眺められます。「関東の富士見百景」にも選ばれ、ここには「東京富士見坂」という名称が付けられています。

私は渋谷区広尾の周辺を時々歩いているのですが、日本赤十字社医療センターから聖心女子大学の前を下って、広尾の商店街経由で外苑西通りを西麻布に向かう道を歩くコースは、坂道だらけ。港区麻布周辺だけでも100近くの坂があるそうです。山の手と呼ばれる台地にはかつての武家屋敷跡地（現在は大使館）や近代的な高層マンションが立ち並び、坂を下ると情緒あふれる庶民的な街並みが広がっています。

新しさと古さが混在する「クールジャパン」

東に上野台地、西に本郷台地がある谷根千（谷中・根津・千駄木）と呼ばれる界隈も坂が多いですね。この地域は古い木造の街並みが残っていて好きなエリアの一つですが、谷中銀座商店街からJR日暮里駅方向に向かうところにある「夕やけだんだん」の階段から眺める景色は、昭和の日本の風景が広がっているようで、どこか懐かしさを感じます。近年、このエリアは外国人に特に人気があるようですが、大都会の中にあっていまも昔から続く人々の生活を感じられる、新しさと古さが混在する街並みが「クールジャパン」として評価を得ていると聞きました。

坂道の下に位置する、庶民的な街並みに残る商店街にも風情があります。近年は、大型商業施設の出店や高齢化による閉店などで、地方都市や郊外の商店街は衰退しているのですが、東京都心にはまだまだ元気な商店街が残っています。広尾や谷中もそうですし、品川区の戸越銀座の商店街も活気があります。

話が少し脱線しますが、商店街が持つコミュニティは、高齢化が進む日本の中で、とても大きなポテンシャルを持つものだと、私は考えています。一人暮らしの人でも、商店街に行けば馴染みのお店の人がいて、他愛のない話をしたり、情報交換をしたり。デジタル社会の中で便利なことは増えましたが、そんな時代だからこそ、信頼できる対面でのアナログ的なやり取りへの価値は高まっているように思います。東京では昔から続くお豆腐店や鮮魚店などがまだ健在ですが、こうしたお店の存在は、庶民の社交の場として次世代にもつなげていけたらと思っています。

歴史と地形が都市を形作っていく

古くからある街並みだけでなく、隈研吾さんの建築に代表されるように、最近できた建物を見ても、自然との共生を感じさせる木造建築や地形を活かした建築物が少なくありません。東京というと高層ビル群が多いイメージを持たれる方も少なくないでしょうが、全国の都市の緑地面積を比べてみると、東京は北海道、兵庫に次いで全国3位。都市公園の多さや、皇族にゆかりのある土地が多くあることなどが背景に挙げられます。こうした自然を身近に感じられる都市である点も東京の大きな魅力の一つです。

東京もそうですが、もともと日本の文化の基層には、縄文・弥生時代にまでさかのぼる、自然と密着したアニミズム（精霊信仰）・シャーマニズム（呪術）・神話世界の文化がしっかりと根付いています。これは神社文化、短歌や俳句などの歌文化、さらにはお祭りや各種の行事・風習・習俗といった形で現代に息づいています。一神教の合理精神に基づいて自然を支配してきた西洋の先進国では見られないものです。また自然と共生し、欲望を抑制して節度ある生き方を追求するアニミズム系文化は、生態系を大事にするエコロジー思想や寛容性ともつながっており、これが今日において日本（そして東京）の魅力を深めているのではないでしょうか。

坂道のほかに、関東平野にも注目しています。実は私は、かねてから関東平野には人類最古の文明があったのではないかと思っているのですが、柳瀬博一さんの『国道16号線「日本」を創った道』を読み、よりこのエリアへの興味が高まりました。

同書の中で柳瀬さんは、「地形」と「道」に着目します。日本列島は4つのプレートがぶつかってできていますが、そのうちの3つのプレートが1カ所に集まった先に首都圏の地形があり、現在の国道16号はその複雑な地形の縁を走っています。柳瀬さんは、このユニークな地形こそが、日本の文明や文化を規定した側面があったのではないかと指摘し、人が住みはじめた3万数千年前から現代に至るまで、この地で繰り広げられた文化や産業の歴史について鋭い考察を展開しました。

柳瀬さんの国道16号へ寄せる〝偏愛〟は、同じエリアであっても時代によって、見えてくるものが異なることを改めて考えさせてくれました。かつて海だった地がどのようにして陸地になり、そこに人が住みはじめ、どんな生活を営んでいったのか――。本書においては、隈さん、大友さん、日比野さんにそれぞれの遍歴とともに東京への思いを語っていただきましたが、柳瀬さんのように、一つのエリアに絞ってその地形や地理の構造に着目し、歴史を定点観測的に深掘りしていくと面白い発見がいくつもあります。

東京には、日本初の学術的発掘によって見つかった縄文時代の貝塚（大森貝塚）や、弥生時代の名前の由来となった土器が見つかった地域（東京都文京区弥生）などがありますし、大都市の真ん中で遠い昔に生きた人々の暮らしが感じられるスポットが少なくないので、街歩きの際にはぜひ地形や地名にも着目し、その由来に思いを巡らせていきたいですね。

江戸時代からご当地グルメが集まる街だった

最後に「食」についてですが、みなさんご存じの通り、東京では国内外のあらゆる料理が楽しめます。理由はいくつかあるでしょうが、その一つに江戸時代の参勤交代が挙げられます。参勤交代とは、徳川幕府の第3代将軍家光が始めた大名を統制するための制度で、大名は領国と江戸を1年おきに行き来させられました。その際、妻子は人質のように江戸に住まわされたといいます。

参勤交代の要員のほとんどは男性ですが、彼らの食事を賄うべく、江戸では外食産業が発達し、また、妻子にふるさとの味を楽しんでもらおうと全国各地から郷土料理が江戸に集まったといいます。この郷土料理がまたすごい。

日本列島は数億年をかけた複雑なプレートの動きによって生まれているため、地形が複雑で、さまざまな生物が生息しています。生物の多様性は食資源の豊富さに直結し、それゆえに各地で採れる食材はそれぞれ個性的で、それを活用した郷土料理は、その地ならではのまさにご当地グルメそのものです。江戸時代の東京には、こうして全国各地のおいしいものが一堂に集まっていました。

さらに、幕末の開国後は、来日する外国の要人たちをもてなすために晩餐会や会食の機会が増え、東京を中心に西洋料理店が次々と開店。それからは和洋を問わず、さまざまなスタイルの飲食店が続々と誕生し、いまでは、東京にいて食べられない国の料理はないほどの多様性を誇っています。現在、東京はフランスのミシュラン社が出版する『ミシュランガイド』において、世界一星付きの飲食店が多い都市として知られています。

まさに世界一の美食の街。私が1996年にインターネットを活用した外食情報プラットフォーム「ぐるなび」を立ち上げた理由の一つも、こうした日本が誇る食文化のポテンシャルが背景にあったからです。

日本の食文化を守り育てる「ぐるなび」

ぐるなびを創業した当時の飲食店の状況は「1に立地、2に立地、3、4がなくて5に立地」というほど、立地によって集客率が大きく変わるものでした。大通りに面した1階にあるお店が圧倒的に有利で、路地に入ったところのお店などは新規顧客の開拓に苦労していました。それがインターネットの普及によるぐるなびのサービス展開により、裏通りや地階の飲食店でも「検索」されることによって選ばれる店へと変わっていったのです。これは飲食店にとって革命的な変化でした。

その後、ぐるなびでは飲食店を検索する機能だけでなく、飲食店経営のノウハウや集客の成功事例などを共有する「ぐるなび大学」、飲食店向けに、経営に役立つ各種情報を提供する「ぐるなびPRO」なども機能させました。また「こちら秘書室」というコミュニティを作り、その会員たちが手土産として使いたい品を選ぶ『接待の手土産』を出版したり、35歳以下の料理人によるコンペティション「RED U-35」を開催したり。食文化を研究する「ぐるなび総研」では、毎年12月にその年の世相を反映する「今年の一皿」を発表しています。こうした取り組みはすべて、世界に誇る日本の食文化を守り育てたい、という思いから始めたものですが、大きな意義を感じています。

私は常々「日本の食文化」は世界一と言っているのですが、その根拠の一つに、「個店経営が65%を常に超える事業ジャンルには国の固有の文化がある」という見方がありまず。日本の外食文化というのは、チェーン店が多いと思われていますが、実は個店が65%を超えているのです。先ほど商店街が東京の魅力の一つだと話しましたが、画一的ではない個性を活かしたお店が存在していることは、その街が持つ大きなポテンシャルにつながるのではないかと思っています。

「鉄道」「地形」「食」という東京の世界一を育もう

ここまで「鉄道」「地形」「食」の視点で東京を見てきましたが、そこに共通するのは、ます。

世界一（世界に類を見ない）という点です。私は子どものころから世界一のものに興味があったのですが、グローバル社会の中で世界に存在感を示していくために必要なことは、世界一のものに着目し、その特徴を活かして磨いていくことではないかと思っています。

もちろん、世界一を目指すこと自体も重要な視点です。お隣の韓国は現在、国家予算に占める文化支出の割合が1％を超える世界一の文化大国となっています。しかし、以前からそうだったわけではありません。韓国では1997年のアジア通貨危機に端を発する経済危機に直面した翌年に第15代大統領に就任した金大中氏が、「文化は21世紀の重要な基幹産業」と宣言して以降、大統領が代わっても、この方針を重要な国家政策として受け継いできました。現在、音楽グループ「ＢＴＳ」をはじめ、韓国の映画やドラマが世界中で高い人気を博しているのは、持続的に文化を国の産業として推進してきたゆえのことではないかと思います。

ひるがえって日本に目を移すと、少子高齢化が進み、一人当たりのＧＤＰ（国内総生産）もかつての世界ランキングから後退しています。国家財政も破産寸前の状態で、明るい兆しがなかなか見えない状況ですが、前段の韓国の取り組みに学ぶことは大いにあるのではないでしょうか。

私は常々「1％フォー・アート」の法制化を主張しています。これは、公共工事費または公共建築費の約1％をそれに関連するパブリックアートに充てる政策で、欧米では1950年代から導入され、アジアでも台湾や、形は少し異なりますが韓国で採用されています。私はこれまで芸術と文化のために経営する気持ちで事業に取り組んできましたが、国を挙げて文化芸術振興に取り組む時代が訪れているのではないかと考えています。

また、これも私が常々語っていることですが、「その国の歴史に基づく固有の文化を尊重する」ことは、これからのグローバル社会において特に大事にされるべき観点だと思います。外国の文化を尊重することはもちろん、自国の文化を尊重することも大切なことです。

すでに述べたように、「鉄道」や「地形」「食」という点からも、日本（東京）のオリジナルな文化を語ることができますし、「玩具」や「古民家」「銭湯」といった切り口でも、同じことがいえると思います。

好きな街を見つめ、「光」を観察することが「偏愛東京」だ

いまから100年以上前、岡倉天心は「茶」を中心軸として、欧米の読者に向けて日本文化の特質を明らかにしようと『茶の本』を出版しました。天心はこの本を通して、茶の歴史、その背景にある哲学、そこから生まれた日本の文化や美意識がどのように形成されてきたのかに触れながら、茶道には「不完全の美学」や「相対性の認識」が表れていること、そこに通底するのは「自然との共生」だと論じました。このように、一つのテーマを突き詰めていくと、その国や地域の文化の深淵や本質が見えてくるものだと思います。

ところで、「観光」の語源は、中国の四書五経の一つ『易経』の一文にある「観国之光」に由来していることをご存じでしょうか。これは「その国の文化、政治、風俗などの『光』をよく観察すること」の意味だそうです。「観に行く」の「観行」ではなく「観光」という字が使われているのは、そういう語源によるのです。

現在は、ツーリズムの訳として「観光」の言葉が使われていますが、自分の好きな街

やモノを見つめ直し、その光をよく観察すれば、本来の意味での「観光」が、遠くに行かずともできるのではないかと思います。そうした「観光」が増えれば、自分が暮らす地域に誇りを持つ人が増え、すでにある名所以外の多くの場所やモノが「観光地」として人気を集めるのではないかと思っています。それが「偏愛東京」の狙いでもあります。

謝辞

私の好きな言葉の一つに、文芸評論家の亀井勝一郎が語った「邂逅と謝念」があります。今回、東京への〝偏愛〟について語っていただいた隈研吾さん、大友克洋さん、日比野克彦さんの御三方は、皆さん仕事を通じて出会った方々ですが、長年にわたって親しくさせていただいております。それぞれの方との出会いとその後のお付き合いに感謝するとともに、こうして一冊の本をまとめることができたことを大変光栄に思っています。

東京工業大学の柳瀬博一教授には、インタビュアーとして御三方の思いを詳らかに引き出していただきました。『国道16号線「日本」を創った道』という本まで著された柳瀬さんの国道16号線に対する「偏愛」も相当なものがありますが、そういう方だからこそ、どんな話題に関しても、深いところまで掘り下げることができたのではないかと思っています。この本を機会に、ライターの清野由美さんと出会えたことにも感謝申し上げます。ほかにもスタッフとして、西川恵さん、外薗浩さん、一木朋子さんにもお世話になりました。また、この本の出版と並行に進めている「偏愛東京プロジェクト」では、クリエイティブディレクター・コピーライターの岡本欣也さん、東京地下鉄の本田勝代表取締役会長に、プロジェクトの企画や推進において大変お世話になりました。心を込めて感謝の意を表したいと思います。

表紙のデザインは、大友さんが手がけてくださいました。特に私からの要望もなく、「大友さんのイメージする『東京偏愛』を描いてほしい」とだけお伝えしたのですが、素晴らしい作品に仕上げてくださいました。東京の地図の上で、この街を象徴する建物や電車と遊ぶ少女のように、読者の皆様にとって本書が偏愛すべき東京を再発見するきっかけになればうれしく思います。

2023年2月

滝 久雄

地理院地図Vector（P160～165）
JASRAC 出 2300817-301（P101）

編著者略歴

滝 久雄（たき・ひさお）

1940年東京生まれ。東京工業大学理工学部機械工学科卒業、東京工業大学名誉博士。株式会社ぐるなび取締役会長・創業者、株式会社NKB取締役会長・創業者。公益財団法人日本交通文化協会理事長、公益財団法人日本ペア碁協会名誉会長・創設者、一般財団法人ホモコントリビューエンス研究所 代表理事・会長。99年交通文化賞（運輸大臣表彰）、2003年東京都功労賞、08年社団法人日本広告業協会功労賞「経済産業大臣賞」、10年「情報通信月間」総務大臣表彰、20年文化功労者。著書に『貢献する気持ち一ホモ・コントリビューエンス』（紀伊國屋書店）、『Homo contribuens一the need to give and the search for fulfilment』（Renaissance Books, England）、『奉献心一人之本能』（中央編訳出版社、中国）、『ぐるなび「no.1サイト」への道』（日本経済新聞社）、『東京の多様性 = Diversity of Tokyo』（日経BP 日本経済新聞出版）など。

東京“偏愛”論

あなたが知らない東京の魅力を語る

2023年3月17日　1版1刷

編著者	滝 久雄
	©Hisao Taki, 2023
発行者	國分 正哉
発　行	株式会社日経BP
	日本経済新聞出版
発　売	株式会社日経BPマーケティング
	〒105-8308 東京都港区虎ノ門4-3-12
インタビュー協力	柳瀬博一
構成・編集	清野由美
装幀・本文デザイン	夏来 怜
本文組版	平澤智正
印刷・製本	錦明印刷株式会社

ISBN 978-4-296-11570-9

本書籍に関するお問い合わせ、ご連絡は下記にて承ります。
https://nkbp.jp/booksQA

Printed in Japan